聞き手も
読み手も
楽しめる

朗読のレッスン

言葉の後ろにあるものと対話する

松浦このみ

彩流社

目次

第二章　表現の源を豊かにする　読む前に自分を満たしましょう

はじめに

物語の朗読をする、ということを始めて四十年ほどになります。出会いは思いがけないほど偶然に導かれたもので、人生の大半をこの朗読とともに過ごしていることを、時々不思議に感じます。

朗読をなさる方は、最近はとても多くなりました。子供に向けての読み聞かせ体験などは多くの方たちがお持ちでしょう。趣味のための朗読教室もどんどん増えています。オーディオブックという新しい楽しみ方もできました。舞台公演という形でも、著名な俳優さんが取り組まれたり、声優さんたちが朗読劇をやられたり、毎日どこかで朗読公演が行われるようになってきています。

それでも私が歩んできたこの間、朗読をやっていると言うと、その反応の多くはこんな感じです。ちょっと変わったことをやっているね。朗読って地味だよね。面白いの？　誘われなければ、自分から聞きに行ってみようとは思わないものだな、などなど。

うまく説明することができないのがもどかしいのですが、私自身は、とても面白さを感じるから、続けてきたわけです。もちろんどんな道でもそうであるように、いつも楽しさだけを感じてきたわけではありません。孤独なものですし、自分の表現力に限界を感じ、誰に頼まれたわけでもないのにどうして続けているのだろうと、行き詰まりを感じることも何度もありました。

でも年齢のせいもあるのでしょうか。最近少しずつ、自分が朗読の何に惹かれているのか、言葉になってきた部分があります。言葉にしていくきっかけになったのは、七～八年前から、演劇に携わる方たちと仕事をする機会に恵まれたことが大きく影響しています。また発声についても、改めて専門家の方に相談しながら、朗読にふさわしい発声とはどういうものだろうと自分なりに探っていく中で気づいた点もあります。

そうした、改めて学び直しともいえる機会を持つことで、あるときふと気づいたことがあります。それは、なんだか自分の朗読の捉え方が百八十度変わってきているなということです。それまでは「作品をどう聞いてもらうか」ばかりを考えていたのが、「作品をどう読み取るか」に着目する時間が増えていたのです。野球に例えるならば、どう投げるかというピッチャーの立場から、どう受け取るかというキャッチャーの立場に、立ち位置が変わったのです。正確に言えばキャッチャーの立場にいる時間が長くなったということです。これは私にとって大きな視点の変化でした。そしてそこから改めて朗読が面白くなっていったのです。どのくらいかというと「俄然」面白くなったと言っても過言ではありません。

その面白さを自分なりに言葉にしてみると、朗読は、目には見えない「対話」がいくつも折り重なるようにして生まれる表現なのだと気づいた、ということです。この作品からどんなものが伝わってくるだろうという「作品との対話」、登場する人物一人一人の生き方・考え方はどんなだろうという「登場人物たちとの対話」、作品の雰囲気を壊さず届けるためには何が大切だろうという「聞き手との対話」、そしてそもそも今自分はどんな作品を読みたいと感じているのだろうという、あるいは表現を邪魔している心理状態はどんなものだろうという、朗読者自身の「自分との対話」。

こうした幾重にも織りなされる「対話」という側面から、朗読の魅力をさらに探ってみたいと思うようになったのです。これから書いていくことは、その途中経過としての記録であり、また私個人の体験という限られた側面から見えている部分だけを記すものです。朗読というものは、簡単に語りつくすことができない、限りなく懐の深い表現分野だと感じています。それでもここに書いていくことが、朗読に興味がある方にも、遠い存在だと感じている方にも、朗読の魅力の一端を感じてもらえるものになったらどんなにうれしいだろうと願いながら、取り組んでみたいと思います。

第一章　朗読のことを紹介します

一　朗読との出会い

内気だったことがきっかけ

そもそも、私がどのようにして朗読と出会ったのか。それは大学に入ってからのことになります。私は子供のころから、人と接するのがとても苦手で、話すことはおろか、声を出すことすらあまりしない子でした。親戚の人から、どんな声をしているのか聞かせて、と言われるくらいで、そうすると益々唇のチャックは固く締まり、母の後ろに姿を隠してしまう有様でした。

その極端な内気さは、何か特別なことをして乗り越えたわけではなかったと思うのですが、小学校に入り、友達ができるうち、自然と仲間内ならば話すようになっていきました。それでも私という人間の形容詞として一番耳にしたのは、大人しい子、というものでした。

そんな私は大学で、アナウンス研究会というサークルに入ることになるのです。

きっかけは、入学式の日に迷子になったことです。広いキャンパスの中で式典会場がどこかわからなくてキョロキョロしていた私に、男女二人の先輩が声をかけてくれました。心細い思いでいた私を、会場の建物まで親切に連れていってくれたのです。それがアナウンス研究会の方たちだったのです。

高校までの仲間内の環境しか知らなかった私にとって、お二人のふるまいはとても大人に感じられ、またその温かい対応に感謝の気持ちでいっぱいでした。よかったらぜひ「アナ研」の説明会に来てね、といって入学式会場へ送り出してくれたお二人に、せめてお礼をという気持ちで、後日新入生向けのサークル説明会に参加しました。そこで迎えてくれた先輩たちが魅力的な人たちばかりで、そのまま、楽しくて居着いてしまったのです。もちろん心の奥には、話すことが苦手な自分を、少し変えてみたいという気持ちがあったと思います。

心を掴まれた瞬間

しかし、いざ活動が始まってみると、私以外に入会した女性たちの多くは、卒業したらアナウンサーになることを目指している人たちでした。それぞれに艶のあるいい声で、性格も明るく、サークルというひとつの社会の中での人との関わり方も滑らかでした。場違いなところへ入ってしまった、やはりサークル活動というのは得意なものを活かす場所で、苦手克服のために入るところではなかったかもしれないと少し後悔しました。

そんなある日、ぐっと心を掴まれる出来事がありました。

アナウンス研究会の活動内容は、発声や滑舌の練習、ニュースなどの原稿を読む練習、朗読、ラジオドラマをつくってみること、また週に一度銀座の公開スタジオで三十分の番組を生でお客様に聞いてもらう場や、大学の行事の進行、音楽関係のサークルの演奏会の司会など本格的な場も数多くありました。

一年生の秋、マンドリンオーケストラ部の定期演奏会を聞きに行きました。司会として二つ上の女性の先輩が出演するからです。このとき、ある曲の演奏の前に、先輩が朗読をしました。マンドリンオーケストラが演奏するのは、劇的序楽「細川ガラシャ」という曲で、その演奏の直前に、戦国時代を生きた女性細川ガラシャの悲劇と、芯の通った生き方が描かれた短い文章を朗読したのです。

朗読者である先輩は、姿は見せず、ステージ袖のマイクで朗読し、声だけが会場に流れたのですが、落ち着いた声、語りかける速度、抑えた感情に込められたガラシャへの敬いが客席を包み込みました。そのあと始まった演奏の最初の一音が出たときから、観客が楽曲の世界へ見事に惹きこまれていくのがわかりました。

凄い、と身体が震えるような感動がありました。語りの力というものの魅力の虜になった瞬間かもしれません。こんなことができるようになってみたいと思いました。

アナ研の先輩には、軽やかな話術でその場を華やかにすることができる女性がたくさんいましたが、このときのような、落ち着いた知的な語りができる方たちもいらっしゃったのです。そういう方たちの声と語りは、ニュース原稿などを読んでも安心して聴いていられる信頼感があります。あんな風になれるならば、アナ研は私にとって場違いなところ、などという弱気は捨てて、なりたい姿を目指して努力してみようという気持ちが自分の中に芽生えてくるのを感じました。

アナ研では年に一度発表会があり、それに向けて、ＤＪ班、ドラマ班、技術班、朗読班という四つの班に分かれて活動する時期が数か月あったのですが、ここで私は朗読班を選び、以来四年間、朗読に様々な角度から触れていくことになります。

二　朗読の魅力

たった一人へ届ける体験

演劇の舞台を見に行ったりしたとき、テンポの良い会話劇ももちろん楽しめるのですが、私はモノローグのシーンがとても好きです。誰に向かうともなく心情を吐露していく、という言葉の発し方が一番、観客である「自分」に届いてくる感じがするからだと思います。

映画でも、ドキュメンタリーでも、ナレーターが語りかけてくれるような場所になると、それまで目と耳で映像を追っていたものが、ふっと聴くことに感覚が集中します。それまでは観客として、あるいは視聴者として受け身の状態で鑑賞していたものが、モノローグやナレーションになると自分の内側に語りかけられているような感覚になり、自分の人生や考え方と照らし合わせるようになる感じがあります。どうやらその感触が好きなのだと思います。

私は大学卒業後に、ある地方のFM局に就職したのですが、ラジオという媒体もまさに語りかけるものです。思い出してみると、私自身中学生のときからラジオが大好きで、深夜放送を中心に夢中になって聞いていました。このときから語りかけてもらったり、そこから想像を膨らませていくということが、楽しい刺激だったのかもしれません。

自分がラジオで話す立場になったとき、一番初めに教わったことのひとつは、ラジオのリスナーは大抵一人で聞いているから、「皆さん」に向けて話すのではなく、「あなた」という一人に向けて語りかけるんだよ、ということでした。少しワクワクする感じがありました。誰か一人、自分の話を聞いてくれている架空の人物を心の中に描き、そこへ届ける。届ける目標地点がはっきりする感じがありました。

自分が舞台の観客やラジオなどの聞き手であるときは、芝居の登場人物や番組の出演者など「向こう側の人」との繋がりを何か感じ、そこに魅力を感じていたのしれないなと思います。仕事をするようになってからは、自分が発信者側になることが増えました。朗読も、仮に目の前に百人お客様がいたとしても、一人に向けて語りかけるものだと思ってやっています。お客様全員が「私に向けて語りかけている」と感じてくださることを目指して、です。

伝える立場として誰か一人へ語りかける意識を持って話すこと、読むことは、難しいことですし責任もあることです。でも、どうしたら受け取ってもらいやすいだろうかと、言葉選びや語りかけ方を工夫し、わずかでも伝える力を磨いていこうと歩む過程そのものが、自分を育ててくれる感じがあります。

朗読者はプロデューサー

私にとっての朗読のもうひとつの魅力は、一人でいろいろな役割に携わることができる、という点です。

これはあくまで私の個人的な考えですが、朗読は、作品を選ぶプロデューサー的役割、語り手として物語の世界へ聞き手を案内するナレーター的役割、登場人物全員のセリフを違和感なく話せる役者的役割、さらに全体を俯瞰して、物語の構成が生き、聞き手に展開を楽しんでもらえるようにするには、どうするのがふさわしいかを検討できる演出家的役割、このすべてを経験できるものではないかと思うのです。

ある意味とんでもなく図々しい考えですが、これだけ複数の視点から眺めてこそ、耳だけで聞いて、物語の展開、情景、人物を知ろうとしてくれる聞き手の想像を助けることができるのではないかと思っています。

私にそのことの面白さを体験させてくれた原点も大学時代の活動にあります。

アナ研の朗読班の活動は、自分も朗読をするのですが、どちらかというと、朗読にふさわしい作品を選んで、サークル内のあの人だったら素敵に読んでくれるのではないかな、という人に朗読を依頼する、という役割が主だったのです。私自身が最初に手掛けたのは、星新一さんのショートショート「殺し屋ですのよ」という作品です。殺し屋を名乗る若く美しい女性が、大会社の社長にライバル会社の社長を殺してあげましょうか、と持ち掛けるストーリー。同級生の声のきれいな女性と、二つ上の、いい声だけれどユニークさも持ち合わせている男性に、サークルの発表会で読んでもらいました。イメージ通りに世界を描いてくれた二人の朗読を一番楽しく聞いたのは私だったと思います。

芥川龍之介の「藪の中」にも挑戦しました。ひとつの事件について、七人の関係者が証言していく物語。男性四人、女性三人、それぞれの声の特徴や雰囲気を見ながら、ふさわしいと思う同級生・後輩に朗読してもらいました。一人でひとつの作品を読む朗読と違って、今で言う朗読劇のような構成にすることができました。一人一人の証言の間を、どのように繋いでいくか。音楽を入れるのが良いか、効果音だけで次へ渡したほうが緊張感を崩さないか、あるいは無音の中で立つ坐るという動きで転換するのがいいかなど、他の仲間たちの意見も聞きながら工夫してつくっていきました。

このように、物語が生きる空間そのものをつくっていく楽しさが朗読にはあるのです。あれ以来四十年以上朗読を続けて来られたのは、何でも自分でやってみたい欲張りで身の程知らずの私に、幅広く限りない挑戦をさせてくれるものだから、ということも大きな要因の一つだと思っています。

肌感覚で様々な人の生き方と触れ合う

朗読をやっているというと、多くの人から「読書家」なのだと思われます。もちろんそういう方もたくさんいらっしゃると思いますが、私自身は子供の頃から本が好き、というわけではありませんでした。むしろラジオやテレビが好き、学校でも国語ではなく、体育と音楽が一番好き、という生徒でした。そんな私が、読書の楽しさを知ったのも朗読のおかげなのです。朗読をする作品を探すことで、あるいは朗読で出会った作品をもっと深く知りたいと思うことで、少しずつですが本棚に並ぶ本が増えていきました。本当は小・中・高校生の繊細な感性で本に触れられていたら、また違うものを吸収できたと思うのですが、私にとっての読書は、遅いスタートで、朗読とともに始まり、歩んでいます。

ただ、朗読をする、という前提で本を読む機会を持てたことで、とてもよかったなと思うことがあります。それはひとつの物語を、何度も何度も探検できることです。黙読ならば一度読んでそれっきり関わりがなくなってしまう物語も、いざ声に出して読むと決めたなら、精読する必要があります。時には書き写し、時には少しずつ暗記しながら。登場人物が見ているものを自分も見て、思っていることを一緒に思ってみる。朗読ですから、動きを人に見せるわけではありませんが、仕草や視線の動きなども、練習のときは一緒にやってみます。数えたことはありませんが、おそらく同じ文章を百回や二百回は、なぞっていると思います。すると、そのたびに新たな発見があるのです。

たとえばある男女二人が初めて出会ったシーンがあるとします。「彼女は静かな優しい目をしていた」という描写の文章。最初は男性側の女性に対しての第一印象かな、と思いました。でも物語全体をもう少し深く読み込んでいくと、すでにこのときが、彼の中に特別な感情が芽生えた瞬間だったのだろうということが推測されていきます。わずかなことですが、それに気づくと、朗読をするときこの一文の表現が微妙に変わってくる、というような具合です。

物語と何度も関わっていくことは、はじめまして、と一人の人と出会って、少しずつその人の新たな面をみつけ、親しくなっていくのと似た体験のように思います。物語の中の人物は、びっくりするほどちゃんと生きているのです。様々な体験をし、物語の最後では、成長し、変化しています。

しかし残念なことに、どんなに親しい友人のことも全てを知り尽くすことができないように、物語の人物のことも、ましてや物語全体のことも、完璧に理解することなど到底できません。

人様に朗読を聞いていただくとき、本番までに自分なりに精一杯のことはやります。でも、いつも仕上がったという感触は持てていません。今のところ、私と物語とのおつきあいはこんな感じです、というものを聞いていただいている、というのが正直なところです。公演が終わり、次の作品の練習に移行するとき、名残惜しい気持ちになります。それほどひとつの本、物語と深く関わることができるのは、朗読の大きな魅力だと思います。

もしかしたら、朗読に取り組むと国語の読解力も上がるのではないかと思うことがあります。物語を聞いてもらうという目標があることで、一歩踏み込んで文章と向き合うことができ、それによって読み取る力も少しずつ磨かれていきます。学校の勉強にあまり面白さを見いだせないときは、表現からのアプローチで読解力をつけていくのは、有効ではないかと密かに思っています。

私個人のことを申し上げれば、もともと本を読むのが遅く、たくさん読めるタイプではありません。読書だけではなく、あらゆることにおいて、要領が悪く、会得するまで時間がかかります。もしかしたらそういう性分だからこそ、ひとつの物語の中へ深く潜って探検するような朗読、という楽しみ方が合っているのかもしれないと思います。

三　朗読との歩み

五感を刺激された感動

私が初めてプロの朗読を「生」で聞いたのは、大学三年生のときだったと思います。下北沢の喫茶店で毎月行われていた「朗読の夕べ」という会。そこで俳優の山内雅人（やまのうちまさと）さんと声優梨羽雪子（なしわゆきこ）さんが、立原正秋さんの「相聞歌」という作品を朗読されました。

歌会の席で出会った二十代の男女、早瀬と田鶴子。お互いに惹かれ合うが田鶴子には足にかつて火傷で負った傷跡があり、以来男性に対しては心を開くことができなくなっていた。が、間をとりもってくれた歌人の配慮もあり、短歌でのやりとりを続けながら次第に心を通わせていく二人。その傷跡も含めて君のことを愛するといった早瀬の腕に、田鶴子がそっと身を委ねるラストシーンでは、桜の花びらが舞い散っていたのです。

朗読だけで聞いているのに、私にはその桜が舞い落ちる速度や、薄いピンクの色まで鮮明に見えた気がしました。どんな映画や舞台、ドラマを見たときよりも、身体の奥深いところで感動を味わっていることに気づきました。お二人の朗読には、今でも私が目指している理想の朗読の在り方が全て存在していたのではないかと思います。

作品にドラマ性があり、この二人はどうなっていくのだろうという展開を、固唾をのんで見守ることができたこと。朗読したお二人のまろやかで艶のある声質が、主役の雰囲気にぴったりだったこと。表現力が豊かであるのに、品が良く、聞き手の想像を邪魔しない絶妙な配慮がなされた朗読であったこと。何より語りを耳で聞いただけなのに、自分の中に映像を浮かべることができたという、いわば物語の完成に聞き手である私自身も参加できているような喜びがあったのです。与えられるものを見るという受動的な見方ではなく、五感を活かし能動的に参加できた満足感にあふれていました。

私が感じる朗読の魅力というのは、このときお二人が私に味合わせてくれたすべてに凝縮されているように思います。作品選び、朗読者の雰囲気との相性、表現力の豊かさが作品の世界感を生かすために使われている、聞き手を作品の世界へ招き入れる度量のある朗読。今でも目指している在り方です。

こんなに人の心を動かす朗読というものを、私も仕事としてやっていくことはできないだろうか、という気持ちが芽生えたのは、この日からでした。現実的にはまだまだ朗読というものを仕事にして生活していくことなど不可能な時代でしたが、以来大学のサークルと並行して、さらには社会人となってからも、山内雅人さんの主宰する放送表現教育センターという朗読教室に、三十代半ばまで十五年ほど通いました。

辛抱を強要してしまう怖さ

山内先生は、作品を生かす朗読の読み方というものに対して、揺るぎない価値観を持っていらっしゃいました。耳障りが良く滑らかに流れる日本語で、それでもその中で必要なことが聴き手に刻印されていく読み、そしてただ無感情に音読するのではなく、言葉の感性を大切に、セリフはその人物がそこにいるように、物語がひとつのドラマになるように仕上げていく。先生はそれをドラマティック・リーディングと名付けられました。

現在は、朗読劇というものがかなりやられるようになり、中には凝った演出や舞台演劇のような大きな表現で朗読をするものも見られますが、山内先生が目指したのは、そうした大掛かりなものというより、心の中にドラマが広がるようなものではなかったかなと、勝手に想像しています。すでに亡くなられてしまっているのでご本人に直接確認することはできませんが、少なくとも私自身はそう受け取り、そこに魅力を感じました。

山内先生の教室では、「朗読の夕べ」という二十人ほどの会場での朗読会や、数百人が入る舞台での朗読など様々な体験をさせていただきました。これが私の朗読の礎となっています。

同時に、そうした舞台などでの朗読の機会をいただいたり、仲間が朗読するのを聞く機会が増えていく中で、朗読というものの難しさも痛感しました。

ひとつは、自分自身の表現力を磨いていくことの難しさ。もうひとつは、朗読をするほうではなく、聞いてくださる方が楽しめるものにするための工夫の難しさでした。朗読者が皆、山内先生のように聞き手を虜にできる魅力を持っていれば良いのですが、残念ながら自分も含め、多くの朗読者はその域には達していません。

朗読は、たとえば十五分の短編小説なら十五分、たった一人で物語を語っていくものです。その間飽きさせずに、物語の世界へ適切に聞き手を案内できることが大切だと思います。これは、なかなか大変なことなのです。芝居のように数人の役者で描いていくわけではないので、朗読者の役割はとても重いのです。

聞き取りやすく、わかりやすく、という「読み」そのものの力も必要ですし、物語の雰囲気を朗読者が的確に捉えるセンスも重要です。またこれは聞き手と朗読者の相性も関係してくるかもしれませんが、聞きたいと思わせる朗読者の声・雰囲気というものも大切な要素だと感じています。

こうしたいろいろな朗読の力が足りていないと、どういうことが起きるかというと、読み方が単調で、どんな物語だったのかストーリーすら残らない、声はいいけれど心地よくて眠くなってしまう、反対に朗読者が力み過ぎて物語の世界へ入っていくことを邪魔される感じがするなど、結果として退屈で辛抱が必要な時間だった、ということになってしまいます。

　せっかく朗読を聞きにきてくれたのに、もう二度と行きたくないというような体験者ばかりが増えてしまったら、朗読の良くない面ばかりがクローズアップされてしまいます。それは悲しいと思いました。自分が人を退屈させている張本人だという事実も、耐え難い気がしました。自分がやっているこの朗読というものは、つまらないものなのかな、と弱気になることもありました。

　ただ私自身の中には、朗読の素晴らしさに触れた体験が間違いなくあります。それがある以上、あきらめなければ自分にも朗読の楽しさを感じてもらう場をつくることが、きっとできるはずだと信じて、そこからの日々を歩んできているように思います。

　大切なのは、朗読には、常に様々な難しさが付き物なのだということを、受け入れることなのだと思います。その上で次第に、自分がこれからも朗読を続けていくならば、もう少しなんらかの工夫をしたいという思いが膨らんでいきました。

相手を思いやる気持ちが工夫を生む

　そもそも自分は、朗読を聞いてくれた人に、どんな体験をして欲しいのだろう、と投げかけてみました。まずは、この物語はどうなっていくのだろうという展開を、一緒にドキドキハラハラしながら楽しんで欲しいと思いました。

　そして登場人物の生き方に触れ、朗読を聞いた帰り道、なんとなく明日も元気に過ごしてみようかなという半歩前へ進むような気持ちになってくれる、そんな時間を提供できたらとてもうれしいとも思いました。

そうなると、作品選びの大切さに目が行きます。文芸作品は時代を越えて読み継がれているのだから素晴らしいに違いない。でもきちんと姿勢を正して聞かなければならないような要因のひとつかもしれない。その時点で朗読を聞きにいく敷居を少し高くしてしまうのではないか。物語の展開を一緒に楽しめるワクワク感、登場人物が置かれる状況や心理状態を、聞き手が自分と重ね合わせて聞けるように、という点からみると、同じ時代を生きている現代作家の小説を中心に取り組みたい気持ちになりました。もちろん文芸作品として残っている作品は、美しい名文ばかりなので、そうしたものも作品の組合せの中には織り込んで、存在価値を知ってもらうのが良いかもしれない。

朗読を聞いてもらう場所も大事です。できればホールの入り口から日常を忘れられるような、こだわって作られた空間がいい。客席数は百席ぐらい。それ以上大きくなると、一緒に物語の空間を味わうにはちょっと広すぎるかもしれないと思いました。

そして、物語のイメージを広げてくれるセンスのある音楽家の方と一緒に物語の世界を描いていけたら、楽しみの可能性は広がるのではないだろうか、という思いが膨らんでいきました。語りだけで音も想像させるのが朗読なのだから、それは邪道だという先輩もいることだろう。でも、朗読を広く人に知ってもらうためには演者のこだわりだけでなく、聞き手が物語を楽しめる工夫をすることも大切ではないだろうか。朗読の楽しさをまずは知って欲しい。うまくやればきっと音楽は物語の世界をイメージすることを助け、彩り豊かに広げてくれるはずだ。ドラマや映画にだって音楽は欠かせないものなのだから。

幸い、就職したのもFM局、退社して東京でフリーになってからも主にFM局での仕事が中心だったこともあり、ミュージシャンと出会う機会に恵まれました。朗読と音楽で物語の世界を描く試みをしてみたい、という話をすると思いのほか、興味をもってくださるミュージシャンの方がたくさんいらっしゃいました。以来、三十年近く、朗読と音楽で物語の世界を綴る、という公演を行っています。

二十年後の学び直し

こうして、三十代・四十代は公演の企画や、自分らしい形を模索して数をこなしていくことに精一杯でしたが、心の片隅にいつも、自分の表現力について、第三者の意見を聞きながら、もっと磨いていく機会を持ちたい、という思いを持っていました。五十代に入ってやっと、朗読に必要な表現力について、腰を落ち着けて時間を取ってみるチャンスが訪れました。ひとつ大きなきっかけもあったのです。

友人で、舞台役者をやっている女性に、朗読劇の舞台をやりたいと言っている演出家がいるから会ってみないか、と言われたのです。一人でひとつの作品を朗読する、ということは長くやっていました。でも、演出をしてもらった経験はありませんでした。ちょっと面白そうだなと思ったのです。

新宿のとある場所で、その演出家に自分の朗読を聞いてもらいました。すぐに一緒にやりましょう、と言ってもらえました。夏目漱石の「明暗」の一部をやってみたいと思っていること、主役の若い男女はお願いしようと思っている役者さんがいて、脇を固める男性陣もベテランの男性役者さん二人にお願いしようと思っていること、できれば役者ではなく、朗読をずっとやってきた女性にも語りを中心とした役割で加わってもらいたいと思っていて、それを私にやって欲しいとのことでした。

百五十人くらい観客が入る小劇場で、三日間、計六公演をやる予定とのこと。少し不安がよぎりました。私はもともと演技の勉強をしたことがありません。仕事もラジオで話すことや、ナレーションばかりだったので、いつもマイクを使うものでした。朗読も、生演奏の楽器とともに物語の世界を綴る、という企画を主にやってきたので、やはりいつもマイクを使っていました。

「あの、小劇場ということは、他の役者さんたちは、マイクは使いませんよね?」

「大丈夫ですよ、さっき聞かせてもらいましたから。松浦さんの声なら十分聞こえます」

そうかな、確かに聞こえるとは思うけれど、私は結構繊細なニュアンスを朗読で表現したくて、それが伝わるかどうかが心配なのだけれど。

私が十代から三十代前半まで朗読を教わった先生たちは、朗読はマイクを使うことを推奨していました。大声で力んで表現してしまうと、大袈裟になり、語りの良さが伝わらない。今のマイクは針一本机の上に落としても、その音を拾うくらい性能がいいのだから、と。実際私も、舞台で大きな表現をしているお芝居を見ると、なんとなく不自然だなと思うことが多かったので、先生方の意見に大賛成で、そのやり方でやってきていたのです。

これは、他流試合になるぞ、という予感がしました。案の定、実際の会場での稽古が始まってみると、私の声だけ内に籠っていて圧が弱いのです。確かに聞こえてはいると思うけれど、自分の出番のところに来るとシュッと奥に引っ込む感じになり、これはダメだと思いました。大丈夫だと言っていたあの演出家も、もう少し声を前に出してみて、と言います。

とにかく、他の出演者の皆さんにできるだけ音量を近づけてみようと頑張りました。居酒屋さんでお店の人を呼ぶときくらいの感じで、ずっとしゃべるのです。

「そうそう、そのくらいなら大丈夫」

いやいや、大丈夫じゃないでしょ、私はこれだと表現したいことの半分もできないのですよ、と心の中で叫びました。でも、一人でやるわけではないですから、ここは合わせなければいけません。稽古の合間を見計らって、演出家にも打ち明けてみました。

「私、本当はもっと文章の細かいニュアンスとか繊細に表現したいんですよね」

「あぁ、繊細な表現ができるんならね」

と冷たく返されました。

え、できていないの？　わりと繊細な表現ができているつもりだったのに……。声だけではなく、表現まで否定されたような気がして、この年になってこんな思いをするなんて、ズタズタでした。結局、その舞台は力の限り大声で読むことを優先しました。もちろん、その中でもなんとか、やりたいことを実現しようと精一杯の抵抗をしながら。

そのとき、なんだか自分は「本物」ではないような気がしました。マイクを使わなくても届く発声が本物で、マイクの力を借りている限りは本物ではないのだろうか。自分がやってきたことは間違いだったのだろうか。独りよがりだったのだろうか。

もうひとつこの同じ朗読劇の舞台で、痛切に感じたことがあります。それは、ずっと自分でも気になっていた表現力の乏しさです。俳優さんの一言には奥行きがあるのに、自分の一言は実に平面的だということを改めて思い知りました。

朗読は妙な感情移入をされるより、ただ淡々と読んでもらったほうが自分の中でイメージが広げられるからいい、という聞き手の方も多いと思います。私も半分はその意見に賛成です。確かに見淡々と読んでいるように聞こえても、「適切な」感情が朗読者の表現の内側に存在しているとしたら、どうでしょうか。聞き手の中に広がるイメージも、より色鮮やかになると思います。「妙な」感情移入をされるくらいなら、ただ音読してもらったほうがいいかもしれません。でも一

誠に身の程知らずで、厚かましいのですが、私は朗読で、できればそういう奥行きがある表現力を持てるようになりたいと思っているのです。一体俳優さんはどんな訓練をして、そのリアルな自然体の表現力を身につけているのだろう、と興味が湧きました。発声と表現力と。改めて学び直し

たいと思ったきっかけの出来事です。

幸運な出会い

それからは、心を許して話せる人には、この学び直したい気持ちを伝えていました。できれば演劇に携わる人から、朗読に活かせる表現力について意見を聞いてみたいこと、すっかり自信を失ってしまった発声についても、自分のしたい表現が伸び伸び活かせる発声法についてトレーニングを受けたいこと、それが私の願いでした。

求めよ、さらば与えられん、とはよく言ったものです。かつての職場の後輩で、今は静岡県の劇団で俳優をやっている女性から、戯曲作家で演出も手掛け、俳優もやっている丸尾聡さんという方を紹介してもらえました。私にとって恵まれていたのは、物を書く作家である、ということと、演出家としての目線ももっていること、さらに自らも演じる体験があるということは表現者の気持ちもわかる、ということでした。さらに、朗読というものに興味を持ってくださる方であったこと。私の朗読の練習につきあってもらいながら、演劇だと、この場合はこんなアプローチをするんですよ、という形で、様々な視点を提供してもらえました。

一方の発声についても、何度か共演したことのあるキーボード奏者が、友人であるヴォイストレーナーの田中利江さんという方を紹介してくれました。こちらも幸運だったのは、田中さんが私の精神状態を楽にしてくれる明るいキャラクターの人だったことと、どんな仕組みで身体から発声されるかをよく研究しているため、欠点を直すというよりは、身体との対話をしながら、声を出す楽しさを教えてくれたということです。

こうした場を重ねる中で、自分の表現力に足りていないのは、「表」に出す部分だけではなく、それを支える「源」の部分への着目だったのかもしれない、ということに気づいていきました。それまでは、とにかく回数をたくさん読んで練習するような、ある意味闇雲にやっていた練習が、次第に、自分なりに本番までの間に、細かい目標地点を設けながら取り組むようになってきたと思います。そうすることで、練習の過程で手応えを確認する場所が何度も訪れ、作品に取り組む過程そのものがさらに楽しくなってきたのです。

ここからは、現在自分がどのように朗読する作品と向き合い、練習の際に注目しているポイントはどこか、などを含め、具体的に書いてみたいと思います。当然ですが、ここから書いていくことの中には、丸尾さん、田中さんのお二人からもらったアドバイスも、たくさん含まれています。

第二章　表現の源を豊かにする

読む前に自分を満たしましょう

一　作品との対話

その人はどう変化し、物語の構造はどうなっていますか

朗読する作品が決まったら、まずやってみることとして「物語の全体像」を知ろうと意識するようになりました。主人公は物語の最初と最後では必ず「変化」しています。物語の始めにはああいう状態だった主人公が、物語の最後にはこんな風に変化した、ということを自分なりの言葉にしてみます。多くの場合それは人間としての成長だったり、現状から次へ一歩踏み出す様子だったりします。その主人公の姿の何に共感してその物語を選んだのか、そしてその姿を、朗読を聞いてくれる人にどんな風に届けられたらいいと思うのかを、この段階で一度言葉にしてみます。

読み込んでいく過程でここには新しい要素が加わったり、奥行きが深まっていくと思いますが、

それを知る意味でも、初めの段階で感じていることを言葉にしておくと楽しみが増えます。表現を仕上げることを急がず、作品と一歩ずつ知り合っていく、まさに作品と対話を重ねていく感覚です。次に、物語を読みながら場面が変わる場所に印をつけてみる「シーン分け」をしていきます。私は朗読者は映画の監督やドラマの演出家のような目線を持っていることが大切だと思っているのです。もしこれを映像化するならば、どんな映像で始まって、どこで画面が変わるか、そのとき何を映してしているか、などをイメージしてみてください。そこが「シーン変わり」の場所です。シーンが変わると思った場所に線を引いてもいいですし、自分にとってわかりやすいやり方で、シーンを区切ってみてください。

この作業は、黙読でやってもいいですし、小さく声に出して読みながらやっても良いと思います。声に出すときは棒読みでボソボソと、をお勧めします。ここでは声に出して聞かせることが目的ではなく、作品を知ることが大切なので、あくまで自分の理解を助けるために、自分自身へ読んであげる感じが良いと思います。

人によってかなり細かくシーン分けをする人もいますし、大きく区切る人もいます。どちらでも良いのですが、シーン分けを終えて声に出して読むとき、区切った場所で読みの流れや呼吸感が、大なり小なり変わることになります。実際に声に出して練習してみると、ここはもっと細かく区切ったほうが良いなと思うこともありますし、逆にここは繋げたほうがいい場面だなという気づきもあります。そのように練習の過程でどんどん変更していくこともまた、作品と対話を重ねることとなので、恐れず変更してみます。

シーン分けをするとき、できればシーンごとに何かミニタイトルをつけたり、何が伝わることが重要なシーンなのかを短く書いてみるといいと思います。たとえば「主人公の年齢など背景を伝える」「登場人物二人の関係性がわかるシーン」「人物Aの迷いを伝えることが重要」「風景が人物Bにどう映っているかを描く」などです。すべてのシーンに厳密にタイトルをつけなくても良いです。あくまで自分の表現の助けになることが目的なので、言葉にしなくても感覚でわかっているほうが豊かであればそれでも良いと思います。

ただ朗読を聞いている人は、本を持たず、たった一回耳だけで聞いて物語を理解しようと一生懸命聞いてくれます。その相手である聞き手に、できるだけ理解しやすいように届けようという視点を持つことは朗読者の大切な役割です。

このシーンでは、このことが伝わるように読んでいこうという目的をはっきりさせることは、聞き手の理解を助けますし、朗読者の表現がより具体的になって焦点が絞れた語りになっていくという効果もあります。

朗読は、書かれた言葉や文章を声に出して読んでいくものですが、目の前の文字をただ追いかけて読むだけでは、文脈まで伝えることができないと感じています。常にひとつのシーンという単位で、この場面では何を伝えることが物語を味わうために大切なのか、意識されていることが聴き手の理解を助けるように思います。

物語の全体像として、この物語を聞いてどんな感じが聞き手に残ってくれたらうれしいと思うかを言語化してみること、あるいは仕切れないものもあることを知ること。さらにシーン分けという手段で物語の構造を知ること、それによって朗読者の役割が明確になっていくこと。これらはどちらも朗読者の表現の芯になるもので、力を与えてくれる気がしています。

登場人物たちはどんな役割を持っていますか

丸尾聡さんと出会ってから、日本劇作家協会のリーディングセミナーを何度か観に行く機会がありました。「月いちリーディング」と呼ばれていたもので、戯曲作家の方たちが、台本をブラッシュアップするために、一度役者さんに舞台で実際読んでもらうというものです。上演のあと、その戯曲について良かった点や、もっと精度を高めていける点について先輩の作家を中心にディスカッションをしていました。

あるときその中で「登場人物の役割」という言葉が使われているのを聞きました。すべての登場人物には、物語上、なんらかの役割がある。その役割が明確であることが、戯曲としてひとつの重要ポイントなのだと知りました。

これは小説でも同じことが言えるのでしょう。登場することによって、物語に新しい展開を生まれさせる役割を持っている人、主人公の成長になんらか寄与するために登場している人、あるいは、緊迫が続いている場面で、その人が登場することによって雰囲気を落ち着かせる役割を持っている人など、です。たとえ一瞬しか登場しない人物も含め、すべての登場人物には、必ず物語を成立させる上での役割があるのだと、いうことに気づきました。

この見方は、朗読でも大いに役に立つと感じたのです。本を読んでいくとき、たとえば登場人物を全て書き出し、その人が物語の中でどういう役割を担っているかをメモしてみます。そうすることで、その人のセリフの役割まで見えてきて、何を表現すべきかの方向性がはっきりしていくような気がします。

役者さんは、おそらくこうした作業を常日頃から、もっと細やかにやっていらっしゃるのだと思いますが、朗読でもこのことは表現の根拠をみつけるヒントになると思います。

誰が語っているのでしょう

物語の多くは、鍵括弧のついたセリフと、それ以外のいわゆる地の文とで構成されています。セリフは登場人物同士の会話なので、誰が誰に向けて話しているかがほとんどの場合明確です。

多くの人が迷うのは、地の文を読むことではないかと思います。「誰の立場」で「誰に向けて」読んだらいいのだろう、という居心地の悪さを感じる方もあるかもしれません。ただこの地の文は、作者が物語の「語り手」を託している重要な部分で、分量的にも圧倒的に多いので、この地の文をいかに自然体かつ豊かに語れるかが、朗読を魅力的なものにできるかに大きく影響すると思います。

物語の語り、つまり地の文は、主人公の目線で書かれているか、物語に登場しない第三者の目線で語られていることがほとんどだと思います。たまに主人公以外の登場人物の目線で語られているものもあります。基本的に、この誰の目線で語られているかをまずみつけてあげてください。

主人公はわかるけれども、第三者とは誰だろう、ということを迷うかもしれません。私は主人公にとってどのくらいの距離関係にある人だろうか、ということを軸にして考えます。たとえば主人公の親・兄弟・親友くらい近い関係で見守って語っているのか、近所に住んでいる、あるいは同じ学校で存在は知っているけれど、遠くから見ているくらいの関係か、あるいは天から見守っているくらい離れているか、というような尺度で見当をつけていきます。

説明・情景描写・心理描写

もうひとつ別の角度から見ていくと、地の文はおおよそ、何が起きているか、この人物はどんな人かなどという「説明」と、場所や人物が見ている景色などの「情景描写」、そして人物がどんなことを思っているかの「心理描写」に分けられていると思います。

それによって、朗読者の気持ちの置き所も変えられます。

説明のときは、少し引いた位置から事実を伝える。情景描写は、登場人物がそれをどんな風に眺めているか、という人物寄りの位置でみつめる場合、あるいは語り手である朗読者自身にどんな風に見えているか、という、見守っている立場ならではの位置取りもあるので、その場面場面によって、朗読者自身が自分と対話しながら、適切な位置取りをみつけていくのが良いと思います。

心理描写は、多くの場合登場人物の誰かの心情を語っているので、基本的にその人物寄りの位置取りで語ることになりますが、百パーセントその人物となって表現するのが良いかどうかは、やはりケース・バイ・ケースだと思います。その人物の心情を語りながら、どこかにそれを見守っていて、語り手としてどう感じているか、という朗読者の目線も存在していたほうが、真実味を増す場合もあるように感じています。

どこへ向けて語っているのでしょう

ちなみに、地の文は、「誰に向かって」語られているのか、ですが、これは多くの場合朗読を聞いてくれている人に向けて語る、という意識で良いのではないかと思います。セリフは、一人の登場人物から別の登場人物に向けて話されるものです。それに対して地の文は、物語の流れや様子を見守っている語り手から、聞き手へ語りかけ、一緒に展開を見守る形になることで、共有ができると感じています。「読む」というより、「話す」ように語るのが一番自然に朗読者の持ち味が生きるように思います。

届ける距離感は、聞き手の人数や、空間の大きさによって変えられるのがベストだと感じますが、私自身は、基本的にはどんな大きさになっても届ける相手は、一人に向けて語る、それをどの程度広げるか、集約させるか、聞き手の人数や、空間を見て、あるいはマイクを使うか使わないかによって、調整が必要なのだなと感じています。

語りはフットワークの軽さが大切

ここまで、地の文は誰が、誰に向けて、どのような位置取りで語っているか、という点を見てきました。ただ重要なのは、このいずれもずっと固定されて動かないわけではない、ということです。基本的には主人公目線で語っているけれど、場面によっては主人公以外の登場人物に寄り添う形になっていたり、主人公の中でも自分を離れた距離から見つめていたり、自分の内側と対話していたりと、位置取りは細やかに移動します。

また第三者目線といっても、ずっと俯瞰しているわけではなく、主人公を応援したい気持ちが生まれたり、一緒に落胆するなど、語り手にも生きた感情を入れたくなるところもあります。もちろん、感情は脇に置いて状況説明に徹したほうが効果的な場所もあります。

そして聞き手に向けて話すように語ると言いましたが、これもずっと同じ方向を向いているわけではありません。私たち自身普段の会話でも、一定して会話の相手の目を見て話しているわけではなく、相手を前にしながら、うつむいて自分に言い聞かせたり、誰へともなくつぶやいてみたり、ということがありますね。語りも同じです。言葉が生まれた状況によって、届ける方向（ベクトル）はいろいろへ向かうのです。

紙の上に並ぶ活字だけを見ていると、平面上に並んでいますが、地の文は細かく見ていくと、かなり動きのある立体的な構造になっています。

これらをヒントに読み取りをしながら、フットワーク軽やかに位置取りを変えていくと、活字という平面に閉じ込められた文章が、息を吹き込まれたように生きたものになっていく感じがないでしょうか。これこそが「朗読」することの価値だと思います。

二　文章との対話

文と文は手を繋いでいます

声に出して読もうと思うと、まずは間違えないように、視界に入る文字だけを丁寧に追ってしまうと思います。もちろん、最初の段階ではそれで構わないと思いますが、それだけではただの「音読」になってしまいます。

ひとつの文章から次の文章へ、どう繋がっているのか、あるいは一旦繋がりが切れているか、など、文と文の関係性を見極めていくと、「文脈」が伝わる朗読になっていきます。

私はよく初めて朗読をなさる方が居心地悪そうに読んでいる場合は、文と文の間に相槌を入れてみるようにします。「へぇ」「うんうん」「それで？」などという具合です。できるだけ次の文章が出やすくなるような相槌や、短い質問「それからどうしたの？」「そのときどう思った？」などを入れていくと、次第に文から文への繋がりが見えてきます。

文と文の繋がりが一区切りついて、新たな視点から語られる場合は、「ところで」「一方」などなんらかのふさわしい接続詞が見つかると思います。

このようにすると、文と文の関係性が見えて来て、書かれている文字の後ろにある「流れ」のようなものを感じることができます。この流れがみつかると、文章と読み手の呼吸が合ってくるように思え、読みやすくなります。また「伝えようとしていること」が、見えてきます。

関係性ということで言うと、文章には「投げかけ」の文章と「受け取り」の文章があるなと感じます。主人公の心理描写などがわかりやすいと思いますが、「もしかしたらあの人はもう帰ってこないつもりなのではないか」という投げかけの文章の次に「いやいや、そんなことはない、来年一緒に旅行をする話をしていたではないか」という受け取りの文章が来たりします。

この投げかけの文章と、受け取りの文章の構図が見えていると、朗読の表現において、ふたつの文章を同じ入り方で読む、ということはあまりなくなり、高い音で投げかけ、低い音で受け取る、あるいはその逆など様々な選択肢が生まれます。

このように、文と文の関係性、それが織りなす構図が見えてくると、一定した単調な読みではなく、自然と「濃淡」のある朗読になってくると思います。

大切なのは、変化をつけるために読み方を変えるのではなく、文章の構図がそうなっているから自然と変化がつく、ということです。この順番が入れ替わると、作為的な読みになり、作品が伝えようとしていることとは違う方向へ行ってしまう可能性があります。そういう意味でも、文章と対話しながら丁寧に読み取る、ということは、重要なのだと思います。

視野を広く取りましょう

このように、文と文の関係性が見えてくると、「数行単位」でひとつの事柄が述べられていたり、ひとつの気持ちが語られていることに気づきませんか。さきほど「シーン分け」というのをしながら作品の全体像を見ましたが、ここで注目するのはもう少し小さな「塊」です。ひとつの事柄が語られるという塊、その流れから沸き起こった気持ちが語られる塊、というサイズのものです。この事柄の塊から、気持ちの塊への移り変わりが見えた状態で朗読をしていけると、「展開を見越した読み」ができるようになってきます。

文章を声に出して読んでいくと、つい目の前に書かれている言葉を説明するように読んでしまいがちです。たとえば「扉を開けると真っ暗な闇が広がっていた」という文章があるとします。やってしまいがちなのは、「真っ暗」を強調して読むことです。これは視野の狭い読みだと感じます。幼い子供たちへの読み聞かせならば、まっっっくら、などとわざと強調して読むことは有効な場合もあるかもしれません。でも大人に朗読を聞いてもらう場合、真っ暗であることは敢えて読み方で強調しなくても、すでに言葉が伝えてくれています。

それよりも、扉を開けて真っ暗な闇が広がっているのを見たとき、その人はどんな反応をしただろうか、どんな気持ちが沸き上がってきただろうかということを、想像できるように語っていくことが、大人が聴くに堪える朗読だと思うのです。「塊」で捉えられていれば、その想像への導きができると思います。

ただし、これには前後の塊も知っている必要があります。真っ暗な闇だから怖いとは限りません。それより前に、たとえば賑やかなパーティ会場にいて人に酔ってしまっていたとしたら、真っ暗な闇は、むしろほっとする空間かもしれません。

怖いと感じたか、ほっとしたと感じたか、あるいはもっと他の感覚を覚えたか、そのヒントは前の塊にあります。さらにそれによって恐らく次にどんな行動を起こすかが変わってきます。怖かったのなら、思わず扉を閉めるかもしれませんし、ほっとしたならしばらく闇の中で風にあたるかもしれません。物語はそんな風に前の文章から次の文章へ、塊となっているひとつの事柄や気持ちから、次の行動へ、という具合に、襷を渡すように綴られているはずです。

もし、真っ暗という言葉を強調するような読み方をしている場合、恐らく他の形容詞もなんとなく強調して読まれている傾向があるはずなので、ほんの数行聞いただけで、やけに説明的な読み方だな、という印象になると思います。これだと物語の味わいや、シーンの持つ雰囲気が伝わりにくくならないでしょうか。

多くの場合、物語には、真っ暗な闇を見てその人が怖いと感じた、とか、ほっとした、というト書きのような説明的な文章は書かれていないと思います。いちいち書かれていたら興ざめですよね。ただ前後を読めば、推察できます。それが「読み取る」ということなのだと思います。広い視野を持って文章と対話し、丁寧に読み取りをしたであろう人の朗読は、聞き手をシンプルに物語の世界へ誘ってくれます。余計なことをせず、でも、人物がどのような心の動きをたどったであろうか、ということを聞き手にちゃんと想像させてくれます。

読点と息継ぎを味方にしましょう

朗読の難しさのひとつは、人が書いた文章を、自分のこととして読む、ということだと思います。違和感なく物語の世界へ連れていってくれる人の朗読は、あたかも朗読者その人の出来事を語っているかのように聞かせる力を持っています。私自身もそこを目指していきたいと思っているのですが、そこで注目すべきポイントのひとつは、呼吸と息継ぎだと感じています。

多くの文章には読点「、」があります。そのたびに忠実に切って読んだほうが良いかどうか、迷う方も多いと思います。まだ朗読になれていない方の読みを聞いていると、この読点との折り合いの付け方がわからなくて、読みにくそうだなと感じることが多いのです。このことは、どこで息を吸うか、ということとも大きく関係しています。息継ぎが自分の楽なタイミングでできると、文章はとても読みやすくなります。

したがって、作品・作者にもよりますが、読点は朗読者が意味を伝えやすい場所に打ち直して読んでいくのが良いのではないかと感じます。もちろん、作者の中には声に出して読むことをイメージして読点を打たれている方もいらっしゃると思います。そういう方の文章は読点のとおりの場所で切って読んでいくと、なるほどこういうリズムで書かれているのか、ということを感じられます。ただ、あくまで黙読を想定して、見た目で読みやすいようにという意識で読点が打たれていることも多く、その場合は朗読者が意味を伝えやすい場所で区切っていく、などの作業をすることをお勧めします。

どこで息継ぎをするのが苦しくならずに読め、なおかつ意味を分断せずに伝えられるか、自分の呼吸と、文章の意味を照らし合わせながら打ち直してみてください。

息継ぎには、大きく分けて二種類あると感じています。しっかりと大きく息を吸う場合と、素早く小さく吸う場合です。大きく視点の変わる箇所では、しっかり大きく息を吸います。意味が繋がっているけれど、最後までは息が持たない、という場所では、できるだけ息継ぎがバレないよう、すばやく小さく吸って、息継ぎの前後が切れた印象を残さないように繋いでいく、その場所にも適切な場所があると思います。

このように、文章のリズムや意味を壊さず、なおかつ自分らしい呼吸感で読めるよう工夫していくと、少しずつ、人が書いた文章も自分に馴染んでくる感じがします。

「読む」ではなく「話す」

作品と対話していくために、どのくらいのスピードで読むか、ということも大きく影響してきます。私たちは普段人と会話をしているとき、一息の中で結構な量の言葉を話しています。つまりかなり速く言葉をしゃべっているということです。

ところが「読む」となると、目の前の文字や言葉のひとつひとつに捕らわれ、途端にゆっくりになってしまいます。そうすると、「文脈」が掴みにくくなってしまうのです。意味をある程度掴んで、いざ声に出して読む段になったら、普段人と話すときのスピードまで上げるのが良いと思います。そうすると、朗読者自身も迷子にならず文脈を辿っていくことができるように感じています。ゆっくり読むと、朗読者自身の見渡す範囲が、目の前の言葉だけになってしまい、文章全体として何を伝えようとしているか、朗読者自身が迷子になってしまうのです。文字ではなく文脈を伝える。そのことを意識すると、自然と「話す」テンポに上がっていくと思います。それはつまり聞いている人にとっても、必要なことが良く聞こえてくるわかりやすい読み、ということになるのではないでしょうか。

テンポをあげて読んでいくことで、他にも見えてくることがあります。それは文章の重要度の違いです。この文章は物語の展開を知る上で鍵となるとても重要な文章だからしっかり伝えよう、と感じる文もあれば、付属的な情報だから軽く流したほうが効果的だな、などという具合に、文章にも重要度がいくつかの段階に分けられることに気づくと思います。そうした文章の濃淡を朗読で読み分けられると、聞いている人にとってもわかりやすく伝わるようになると感じます。

同じように、ひとつの文章の中でも全ての言葉を聞いてもらおうと頑張ると、情報量が多くなり、聞いている人が消化不良を起こしてしまいます。短い文章ならば大抵ひとつの文章が伝えようとしていることはひとつです。長い文章ならば文節ごとにひとつ、伝えたいことが入っているかもしれません。いずれにしても、この文章は何を伝えようとしている文章かを読み取り、それを伝えていこうとしてみてください。話すテンポならば、それが見極めやすくなります。

余白が語りを支える

作家の小川洋子さんに「輪郭と空洞」(角川文庫刊『妖精が舞い下りる夜』所収)というエッセイがあります。電車で、前の席に座っていた女性のレースのブラウスを見ているうち、自分が見ているのは、糸によって形作られた輪郭なのか、レースの向こう側に透けてみえる女性の肌(空洞)なのか混乱してきたというのです。そこから小川さんは、小説を書くという仕事も、ひとつの言葉を選ぶ陰で、無数の言葉を捨てていることに気づきます。選ばれた言葉たちが輪郭をつくり、捨てられた言葉たちが空洞を作っていると。

このエッセイは、私の朗読教室の参加者が、ぜひ読みたいと持ってきてくれたものですが、読んだときに、朗読に繋がる大切なヒントがあると感じました。物語は、書かれている文字だけで作られているわけではないのです。作者が言葉にはしていないけれど読み取れる状況や、直接的な言葉としては書いていない心情など、物語の「余白」には、大切なものが詰まっています。

朗読では、その余白を表現することができると思うのです。文字としては書かれていない心情を「言葉に込めて表現」することもできますし、「間」という空洞で伝えることもできます。

「文と文は手を繋いでいます」のところでもお伝えしましたが、ひとつの文章と次の文章の間は、空白です。でもそこへ架空の相槌や接続詞を、朗読者が心の中で入れることで、表現としては文から文への繋がりが生まれます。聞いている人にとっては、この相槌や接続詞は「聞こえない」表現ですが、朗読者の中で繋がっている表現と、ぷっつりと切れてしまっている表現の違いというものを、どうやら人は聞き分ける力を持っているように思うのです。

朗読は「間」の芸術である、と言われます。「空洞」をどう表現するか、きちんと意図を持てている場合、「間」は芸術になっていくと思います。

もうひとつ、「間」は動きである、という見方もできます。登場人物は、この文章の終わりとともに、部屋の中をみつめていた視線をふと外へ向けただろうな、という想像ができる動きです。これも文字では書かれていないことですが、文章と丁寧に対話していると、絵が浮かんでくると思います。視線以外にも、座っていた姿勢から立ち上がる、髪をかき上げるなどという仕草も、文字として書かれていない空洞に入るかもしれません。その動きや仕草を、朗読者がイメージしている一瞬の時間が「間」になります。裏付けのある「間」はとても雄弁な表現です。

こんな風に、朗読というのは、文字を声に出して読むもののように思いがちですが、実は文字としては書かれていない余白の部分が、次の表現を生み出す鍵を握っているのだと感じています。余白は、朗読を聞いている人にとって物語を味わう大切な部分ですし、朗読者にとっては、文字の後ろに流れている状況や感情と波長を合わせていく役割を担います。輪郭と空洞が意識された朗読は、豊かなものであると思います。

三　登場人物たちとの対話

セリフは毎日私たちがしゃべっている言葉

俳優さんであったり、演劇の勉強をした方にとっては、朗読の中でもセリフはお得意の分野だと思います。私のように「話す」「読む」ということしかやって来なかったり、趣味として朗読を始めた方にとっては、セリフとはどうやって言うものなのか、ということにとても悩むかもしれません。

少なくとも私は表面的なことしか出来ていないと感じていましたし、そのことがセリフだけでなく、地の文を伝えるときにも奥行きの足りなさ、という形で納得がいかない仕上がりになってしまうことを悩んでいました。ここが演劇関係の方にアドバイスを求めたり、また自分自身でも演技についての本を読みながら、参考になることを探し始めた一番の動機です。

その結果、朗読にも活きるのではないかと感じている、いくつかのポイントがあります。それは、

「人物の状況に身を置く」
「自分自身の体験と照らし合わせる」
「ただ言う勢いの大切さ」

「息遣い、呼吸の重要さ」
「距離感、ベクトル（方向）、仕草、動き、」
「なぜ話したくなったのか、どういう居方をしているのか」
という点です。ひとつひとつについて、見ていこうと思います。

その人の状況に身を置いてみましょう

私が朗読の面白さを改めて深めたのは、どう読むか、から、どう読み取るか、に視点が変わったからということをお伝えしました。それはセリフの練習がひとつのきっかけになったかもしれません。セリフを言いなれていない人間は、セリフを前にすると、つい、どんな風に言おうかと考えてしまいます。でもその前に、そのセリフを言う人物は、「どのような流れでそのセリフの言葉を云いたくなったのか」、また、「どういうつもりで言っているのか」、という点に注目すると表現のヒントになるのだということに気づきました。

つまりその人物の状況に身を置いてみる、ということです。

このことは演技の勉強をしたことがない私にとって目から鱗のアドバイスでした。たとえば「どうしてそんなに厳しい仕事を選んだのですか」というセリフがあるとします。そのことを聞きたくなったのは、なぜか。何を知りたくて、つまりどういうつもりで言ったのか。

この質問は、たとえばこんないくつかのケースが考えられます。インタビュアーが仕事として聞く場合、相手に好意を持ち始めた人物がその相手に聞く場合、親が子供に聞く場合など、です。物語の前後の流れをちゃんと読み取れば、どの状況でその言葉が生まれたのかは、わかると思います。その状況に身を置いてみるのです。

少し好きになり始めた相手に興味が湧いたから、仕事のことを聞きたい、という状況に身を置いてみたら、「どうしてそんなに厳しい仕事を選んだのですか」という質問には、相手のことを深く知りたいという気持ちが、含まれているかもしれません。さらにもう一歩進んで何か力になれることがあったら支えたい、というような思いまで含まれているのかもしれません。

同じセリフをインタビュアーが仕事として聞いているなら、相手の答えによって、その次の質問を探っているなど、客観的な在り方を大切に聞いているかもしれません。

親が子供に聞くならば、子どもの気持ちを理解して応援したいのかもしれませんし、全く逆のケース、反対してなんとか別の仕事に就いて欲しいという願いが隠れている可能性もあります。

このように、セリフを言う人物の状況に身をおいてみると、そこから必然的に表現に繋がるヒントが導きだされていくように思うのです。

文字だけを読んでどう言おうか、と考えていたとき、朗読者の私は物語の中でセリフを言う人物の向かい側に坐って、観察するかのような気持ちでいたように思います。でも、その人物の状況に身を置いてみようとすると、向かい側ではなく隣に移動して座り、その人と同じ景色を見ているような感覚になるのです。そうすると言葉が素直に出やすくなる気がします。ただ隣で同じ景色を見ているだけなのに、なんとなくその人物が少し近い存在になり、親しみが湧いてくるようです。

もしかしたら、実生活においても、もっと相手のことを理解したいなと思ったら、言葉のやりとりだけでわかろうとせず、こんな風にただ黙って隣に座って、同じものを見てみようとしたら、それだけで充分なこともあるかもしれないな、などと思ったりします。

ちなみに、状況に身を置いてみる、という前提で考えだすと、ああだった可能性もある、こうだった可能性もあるなどと、いたずらに想像を広げてしまう可能性があるのではないか、と心配になり、丸尾さんに尋ねてみたことがあります。その答えはこうでした。

「あくまで、書かれていることを根拠にして、想像してみる」

このことは大切なことのように思います。一読者、あるいは一聴衆ならば、もしかしたらあの人物は、あのときこんな気持ちだったのかもしれないね、と自由に想像を膨らませて友人と語り合ったりするのはとても楽しいことですが、表現する側は自分勝手に想像を膨らませず、書いてあることを根拠にすることで、人物にある一貫性が生まれ、人物像もくっきりしてくるということだと思います。

自分の体験のあのときと似ている

人物が置かれた状況が見えてきたら、今度は朗読者自身と、その人物の置かれた状況を紐づけていくことを目指します。それができると、朗読者から発せられる言葉が、どっしりと地に足が着くような感触になります。まさに登場人物たちとの対話です。

紐づけというのは、物語の中の人物が置かれている状況に似た体験を、朗読者自身の人生の中から特定してみる、ということです。全く同じ体験はなかなか無いと思います。たとえば人を殺してしまう状況に身を置いた体験などほとんどの人がありません。でも、殺したいほど憎いと感じた体験はあるかもしれません。そこまでいかなくても、あの時のあの状況に近いな、というものは大抵みつけられるような気がしています。

物語の人物に起きている事態の大きさや重さと、朗読者自身の実体験のそれが、サイズ感として一致していなくても構わないようです。たとえば作中人物は誘拐されてどこかわからない場所に目隠しをされている。朗読者にはその体験はないけれど、小さい頃うっかり遊びに夢中になって帰り時間が遅くなり、いつも通っているはずの道が真暗で、一人で歩いて通るのがとても怖かったあの時の感じ、という具合に、何か近いものをみつけてみます。

状況に身を置いて、自分自身の体験と照らし合わせてみる。こうした作業は、なんとなくこんな感じかな、というような漠然としたものではなく、かなり具体的なものとしてイメージすればするほど、表現の焦点がしっかり合ってくるように感じます。

私自身は、いつもいつもうまくいくわけではありませんが、状況に身を置くことと表現がうまくかみ合ったときは、あ、今の言葉は私自身の中から根拠を伴って出て来た、という感触があります。お客様を前にした公演などでそういう表現ができたとき、あとでアンケートなどをみると、不思議とそう感じた箇所を「印象に残った言葉」として書いてくれている人がいたりするのです。三十分ほどの小説を朗読するとかなりたくさんの言葉を声に出していることになるのですが、その中からあの言葉が印象に残ったのか、と思うと、朗読者にとって腑に落ちている表現というのは、ちゃんと伝わるのだな、と思います。

説明せず一息で言ってみましょう

セリフを言い慣れていないと、ついセリフの中の言葉を説明的に読んでしまうことがあります。なぜそれがあまり好ましくないかというと、言葉というのは、それだけを力づくで押しつけるように渡しても、なかなか受け取ってもらいにくいものだと思うのです。必然的な流れの中で浮かび上がってこそ印象に残るものではないでしょうか。

セリフの場合は、その必然的な流れというのは、セリフを生んだ人物の気持ち、ということになると思います。たとえば以前読んだ物語の中に、正確ではなく意訳ですが、このようなセリフがありました。

「あの人が変わってしまったのは、自分を信じる力がなくなってしまったからなのだろう。だから運に見放された。運というのは、自分を信じる人のところにだけ集まる」

このセリフの中には、なるほどと感じたり、含蓄がある言葉だなと思わせる要素があるので、つい聞き手の印象に残るようにやりたくなり、たとえば「自分を信じる力」や「なくなって」や「運というのは」や「信じる人のところにだけ」などを強調して読みたくなる傾向があります。

ただ、言葉というのはそれだけですでに意味を持っているものなので、敢えて強調しなくても充分伝わる側面もあります。特に言葉に強い意味があるものほど、ただ言うだけで存在感があるような気がします。それならば気持ちの流れに乗せてあげるだけでも大丈夫ではないでしょうか。「ただ言う勢いの大切さ」に価値を置いてみる勇気も必要です。

さきほどのセリフを、この言葉を云いたくなった状況に身を置いてみます。たとえば仕事の実力があって期待していた部下が、気持ちの弱さゆえお酒に逃げがちになり、残念だと感じている状況だとします。鍵括弧の中には句点「。」で区切られた三つの文章があります。一つ目の文章では、残念だという気持ちを奥底に持ち、二つ目の文章では発言者なりの推量をし、三つ目の文章では気持ちの落としどころを見つけている。この流れを大切にし、敢えて言葉を説明せず、三つの文章をただ言うだけで、結構伝わると思いませんか。

大切な言葉だからと、つい説明的な表現になってしまっていると感じたら、「ただ言う勢いの大切さ」を重視してみてください。

息遣いに注目

ただ言う勢いの大切さ、ということとも関連がありますが、息遣いと呼吸が表現に与える影響はとても大きいと感じています。さきほど「文章との対話」のところでは、意味を読み取り、自分のす。

言葉として伝えるための息継ぎに着目しましたが、今度は、感情を伴う息遣いや呼吸感についてで

私たちは普段の日常生活の中では、驚いたら息を詰めたり、嬉しいと感激の息を漏らしたり、興奮していち早く伝えたいときは息継ぎなどせず一息で早口でしゃべったり、元気がないと弱々しい息で話したり、実に多彩な息遣いを無意識のうちにしています。

ところが朗読では、結構な分量のある文章をずっと声に出して読むので、呼吸を一定にコントロールしながら安定した聞きやすい読みをすることも大切になります。ただ、安定というのは退屈とも紙一重なのです。二〜三分、安定した読みのナレーションを聞いている分には、聞きやすくて安心するなと思うのですが、その同じ調子が十分、二十分と続くと、眠気を誘ってしまうこともあります。この兼ね合いは本当に難しいと思います。

そこでヒントになるのはセリフなのではないかと思いました。普段の会話で無意識に使っている呼吸感を、セリフに生かしてあげることができたら、少なくともセリフのところでは、物語の中の人物がリアルにそこにいるように感じさせることができるようになるのではないでしょうか。

俳優さんは、お芝居の間は、ご自身の呼吸ではなく、それぞれの役の人物の呼吸をするそうです。リーダーとして行動的に人を引っ張っていく人物は、普段の呼吸も力強く早いかもしれませんし、献身的にリーダーを支えたい人は、相手の状態を観察しようと静かに呼吸をしているかもしれません。もちろん仕事場にいるときと、家でほっとしている場面とでは、同じ役の人でも呼吸感は変わ

るでしょう。大切なのは、人物や場面によって呼吸感は違うということです。

役者ではない私は、どのセリフも、朗読者である自分自身の呼吸で全てを賄おうとしていたのではないかと思います。すると、たとえば男性だから少し低めの声で、とか、子どもだから高めの声で幼い感じでなどの工夫をしても、声は変えているけれど、呼吸感は大して変わっていません。録音して聞いてみると、やっているつもりのわりには、大して違って聞こえてこないな、などのジレンマを抱えます。

ならば、と口の形を変えてやってみると音色は変わるのですが、ちょっとアニメのキャラクターみたいに人工的なものになって、不自然でそぐわない感じになってしまう。そこで「演技レッスン」とか「演技術」などがタイトルに入っている何冊かの本を買い込んで読んでみました。ヒントはありました。

「言葉は吐く息にのせるもの」だという文章が目に留まりました。人物ががっかりしている場面ならがっかりしたため息にセリフの言葉を乗せる。部下に指示している場面なら、力強さを送り込む息吹に言葉を乗せる。ほっとする場面なら吐息に言葉を乗せる。

ここでも着目すべきなのは、セリフの言葉を「どう言うか」ではなく、この人はどんな息を吐いているか、呼吸をしているか、その息に言葉を乗せるのだ、ということです。

そしてもちろん、この呼吸と言葉の関係は、セリフだけではなく地の文を読むときにも活きてきます。地の文の中にも、単なる説明ではなく、登場人物の誰かの、あるいは語り手の感情が滲んでいる箇所がたくさんあります。そのときも、その感情の度合いにふさわしい息遣いに言葉を乗せることで、言葉や文章に温度が生まれるように思います。

特に語尾がいつも同じような処理になってしまう人などは、この息遣いに注目してみると良いかもしれません。前からの息遣いの流れでそのまま語尾を放てば、敢えて変化をつけようとしなくても、自然にその流れにふさわしい語尾になると思います。

届ける言葉の距離感・方向性・仕草を想像する

朗読において大切なのは、紙という平面上に並べられた活字を、いかに立体的な映像にして聞き手に届けるか、ということだと感じています。朗読者は俳優さんのように動いて芝居をすることは基本的にはありません。声の表現だけでいかに動きや空間を感じさせるか、ということが物語の朗読では課題になってきます。

ここで、距離感、ベクトル、さらに実際はしないけれど仕草や動きというものが助けになってくれます。

距離感というのは、セリフを言う相手との文字通り距離感です。どんな場所のどの位置にいる人が、どのくらい離れた、あるいは近い距離にいる相手に話しかけているのか、これを具体的にイメージすると言葉を届ける放物線の描き方が変わっていきます。同じ場面の中でも、人物たちは途中で移動するかもしれませんので、どこで、どの場所に移動したかを具体的にイメージすることで、聞き手は人物たちのいる空間の広さを想像しやすくなります。

ベクトルとは、矢印のことで、その言葉がどの方向に向けて話されているかを意識します。ひとつのセリフの中でも、ベクトルは変わります。相手に訴えているセリフのベクトルは相手に向きますが、発言者自身が自分に対して言い聞かせたり、問いかけたりする言葉は当然ベクトルが発言者の内側に向きます。どのタイミングで、どこへ向けて発している言葉か、これを丁寧に見てみると、これも立体感ある表現を助けてくれます。

そして、実際に人に聞いてもらう朗読のときには朗読者は動きませんが、一人で練習するときは、動きながらやってみることは大いに役立つ気がしています。動きには、視線の動き、仕草、そして立つ坐る歩くなどの動作があります。

視線というのは、ベクトルとも関係が深いように思うのですが、セリフの中のここでは相手の目を見て話している、でもこのあたりで視線を膝の上に落としたかな、というようなことをイメージして、朗読の練習の際に、その通りにやってみます。

仕草も同じです。ここで髪をかき上げたかもしれないと思ったら、言葉と言葉の間で髪をかき上げてみます。ここで手を振ったかも、相手を叩いたかも、腕組みをしたかも、など、その人物がやりそうな仕草を交えて練習してみます。

さらに坐って話していたけれど、ここで立ち上がったのではと思われるところでは、実際に立ち上がります。二人はここで並んで歩きながら話していると思われるところでは、足踏みでもいいので実際に足を動かしながら読んでみます。すると、会話をしている相手は前ではなく、隣にいるのだということに気づき、話すときの視線やベクトルは、正面だけではなく横に向かう瞬間もあることがわかります。動いてみてわかることは、結構たくさんあるように思います。

この練習は少しやり方を変えると、地の文でも応用できるように思います。たとえば歩きながら読んでみて、場面が変わるところや、話す内容の視点が変わるところで、一度止まってみる。そして新しい場面や視点になったらまた歩き始める、などという具合です。

朗読なのに、なぜこうした練習が役に立つと思うかというと、動くとそれは声に乗るからです。仕草とともにしゃべると、一番伝えたい言葉に自然と重心が乗ったり、自然な間合いが生まれたりします。実際の朗読のときには動かなくても、練習のときに動いたその感覚を身体が覚えていれば、表現は立体的になります。

また、ただ机上で読んでいるときにはわからなかったけれど、実際に動いてみると、ここで身体の向きを変えているな、などと気づけることもたくさんあります。それらは全て、実際にはやらなくても、声だけの表現にも生きてくるのです。

不思議なもので、朗読者が具体的に視線や動きや仕草を、読んでいる「今」イメージできていると、聞いている人にもなんだかそれは伝わるようなのです。あとは聞き手が、頭や心の中で映像を描き出してくれます。

なぜ話したくなったのか、どういう居方で話しているのか

昨年、私の大好きな作家の一人辻邦生さんの小説を朗読しました。中に、登場した修道女が、久しぶりに会った主人公である年下の修道女に、文庫本にして二ページほど一人で話す長いセリフがありました。しかもこの女性は、この場面にしか登場せず、このセリフで修道女というものの置かれている環境の厳しさや、それでもその仕事で生きていく信条を語り、物語の内容にも重要なテーマを投げかけるものでした。

私にはここがとても難しかったのです。それは、こんなに長く一人で、人生を生きる信条を語る機会を体験したことがありませんでしたし、いきなり主人公と再会してこれを話し出すところへ、どうしても気持ちを持って行けなかったのです。

そのときに、練習につきあってくれていた丸尾さんがおっしゃっていた言葉が印象的でした。それは、

「そうなんですよ、人間というのは普段は基本しゃべらないいんです。だから、なぜそれを話したくなったかという状況をつくってあげるのが戯曲の役割でもあるんです」

というものでした。

人間は基本しゃべらないもの、という言葉が新鮮でした。確かに、必要があるから、話しているのだなと思います。相手が話したことへ返す必要のときもあるでしょうし、話を聞いて欲しいという必要のときもあるでしょう。

そこから、この人は主人公に向けて、こんなに重みのあることを「なぜ、今、話したくなったのか」を探りました。久しぶりに訪ねてきた主人公の様子を見て、なつかしさもあっただろう。成長を見て感慨深くなり、あまりこれまで話して来なかった自分の体験を聞いて欲しくなった、ということも考えられる。同時に、次にいつ会えるかわからない状況でもあり、若い世代である主人公に伝えておきたい思いもあったかもしれない。

こんな風に、彼女の長いセリフを話す動機を自分の中に構築していきました。二〜三ヵ月かけて練習していく中で、少しずつ一場面しか登場しない彼女と私自身の中にも繋がりが生まれていく感触がありました。

そして同じセリフの練習をしていたとき、その彼女の「居方」ということも話題になりました。こういう苦難に満ちた自分の半生を語る人の居方です。ただそこに立っている姿も何かを表現する、のです。私の場合は役者ではないので、立ち方まで要求されていたわけではありませんが、「居方」の中には当然「話し方」も含まれ、その話し方を適切なものに近づけるためには、やはりそれを話しているときの彼女の姿勢や、目線は、当然関係してきます。その話す姿が、彼女がどう生きて来たかに繋がるのです。

そこで私は、彼女に近い「居方」で語ることを目指すために、かつて仕事でインタビューをしたことのあるシスターのことを思い浮かべました。きちんとアイロンをかけた服装をし、部屋は整然と片づけられ、一日のスケジュールが規則正しく決まっていました。こんな風に日々を送ったら、心が整っていくだろうなと、そのとき感じたことを思い出したのです。

　自分の毎日は、比べ物にならないくらい粗雑なものですが、想像はできます。もちろん見ている人に伝えられるほどの、彼女の居方になれたとは到底思えませんが、自分のイメージの中には、あのきちんとした人を存在させることはできました。はじめはかすかな存在だったのが少しずつ私の真ん中に近いところまで来るようになったとき、練習に立ち合ってくれていた仲間たちに、一度しか登場しない彼女のセリフの部分にも、存在感が出て来たと言ってもらうことができました。

第三章　表現を支えてくれるもの　朗読者のメンタルが大事です

一　聞き手との対話

届く感触

ここまで、「作品との対話」「登場人物たちとの対話」をしながら、練習を重ねてきました。丁寧な読み取りをしてくれれば、朗読者の中には、「表現の源」となるものが充分満たされていると思います。ここからいよいよ「聞き手との対話」の時間です。つまり朗読を聞いてもらう本番のときです。

聞き手を前にして、意識することのひとつは、「届ける」ということです。

教室の参加者などを見ていると、言葉を発するところまでしか意識されていないことがよくあります。でも言葉が聞き手に届いて初めて、朗読は成立するのです。

具体的には、自分から発した言葉の到着点をイメージして、そこへ向けて語りかけてみます。到着点が意識されていない言葉というのは、発した人の口から出た瞬間、空中に散ってしまうように感じます。もちろんそれが効果的な場合もありますが、無意識に散ってしまうのは残念です。できるだけ具体的な到着点を見据えて練習していくと、言葉は焦点が絞られた届き方をしていくと思います。家などで一人で練習するときは、目の前に花瓶の花や、ペットボトルなどでもいいので置いて、そこへ向けて語りかけてみてください。初めは、語尾などで、届ける対象のほうを見ると意識しやすいと思います。

可能ならば目の前にいる人に協力してもらうと、理想的です。うまく聞き手に届いたときは、はっきりと「あ、今届いた」という感触があります。このときはもちろん相手にも、私に向かって語りかけてくれた、という感触があります。届いたときと届いていないときの感触の違いを知ると、成功率が高くなっていくと思います。

力んでしまうと朗読者と聞き手の間に壁ができてしまう感覚があるので、お互いの間は風通しのいい空間なのだとイメージして、物語の世界へ招き入れるような意識でいられると、届きやすく、一体感が生まれるように感じています。

ちなみに、私自身は目の前の到着地点とは別に、いつも心の中に「最良の聞き手」をイメージして語るようにしています。目の前の到着点という「外側」の対象と、自分の「内側」の最良の聞き手の存在をどこか結ぶようなイメージです。

ちなみに最良の聞き手とは、百パーセント私の味方として話を聞いてくれる人、私の話すことに関心を持って聞いてくれるし、穏やかな笑顔でうなづいてくれたり、一緒になって反応してくれたり、気づいたら、自分でも驚くほど自由に、伸び伸びと伝えたいことを話せている、そんな状態に持っていってくれる聞き手です。

実生活においては、なかなかそのような素晴らしい聞き手はいつもいつも居てくれるわけではありませんが、過去にそのように聞いてもらった体験は、一度や二度、誰にでもあるのではないでしょうか。その体験を思い出し、心の中に最良の聞き手を存在させてあげると、心強く感じ、力まずに聞き手に届く言葉に近づいていくように感じています。

人が書いた言葉を自分の言葉として語ることを目指す

聞き手との対話において、届ける感触とともに大切にしたいのが、「読む」のではなく「話しかける」ように朗読をしていく、ということです。

「文章との対話」の項目で、読む速度を「話す」テンポにすることで要点が伝わりやすくなる、ということについて書きましたが、今お伝えしている「聞き手に届ける」という段階においても、この話すようにということは大切なポイントです。

なぜここが大切かというと、読むという行為は、あくまでも他人が書いた文章を借りて読んでいる段階に過ぎません。できるだけ、朗読者の中から生まれて来た言葉として語れるようになりたいのです。話しかけるように届けられると、聞き手にとっても、受けとりやすいものだと思います。

私が時々アドバイスをもらっている丸尾さんが、印象的な言葉をおっしゃったことがあります。

それは、

「人の書いた文章というのは、読み手や役者にとっては異物なんですよ」

という言葉です。まさにその通りだと思います。異物を取り込み、自分の中に馴染むように育てていくのです。これは一朝一夕でできることではなく、丁寧に読み取り、文脈を理解し、前後の流れも見据えた上で語っていかないと、自分の中から出てきた言葉のようには語れません。ここまでやってきた作品との対話や、登場人物たちとの対話が大いに役に立ちます。

練習の仕方としては、形から入っても、内側から入っても良いと思います。

形から入るというのは、まるで自分の中から出てきたような「フリ」をして語っているうち、あれ、ここはどういう意味だろうという違和感が生まれ、その違和感がなくなるように読み取りを吟味していく、という方法です。

内側から入るというのはある程度丁寧に読み取りをして、狙いを定めてから声に出してみるやり方です。そのとき、内側の感覚と、表現として外へ出ていく語りが、一致しているかどうかを見てみるといいと思います。録音をして、チェックするのもいい方法です。録音を聞いてみると、意外と思ったのと違っていることもあるので、少しずつ表現したいイメージへ、軌道修正してみてください。

もうひとつ丸尾さんの名言をご紹介します。

「違和感を覚える箇所があったら、それは作品ともう一段深く知り合うチャンスだ」。なんだか読みにくいとか、しっくり来ないという箇所があったら、それはチャンスという意味です。ごまかして読み進めてしまわず、そこで立ち止ってみることができたら、チャンスです。

何に対して違和感を覚えているのかを探ってみます。この流れでなぜこの文章が書かれているのだろう、なぜここでこの言葉が選択されたのだろう、などという具合に、大抵の場合、文章の理解がまだ充分できていない箇所であることが多いです。探っていくと、しっくりきていない原因が具体的に見えてきます。

誰か別の人に、どう思うか聞いてみてもいいと思います。自分の気づかなかった視点をもらうことで、読み取りに筋が通っていくことがあります。すると、気になった箇所の違和感が解消されるだけでなく、その前後の場面の見え方も一気に違う見え方になったりすることがあり、それはなかなか感動的な瞬間です。

朗読を練習していると、人生と一緒だなとよく思います。うまくいかないことがあるときは、チャンスなのです。自分と向き合い、何がうまくいっていないのかに気づき、少し生き方を修正できるチャンス。そんな風に作品と向き合っていると、朗読は楽しくてやめられないと思ってしまうのです。

今見て、今思う

聞き手を前にした朗読で心がけてみることのもうひとつは、「今、見る、今、思う」ということです。朗読者にとって作品の文章は、出会ったときから完成された形で書かれていた言葉たちですが、作者にとってはその言葉たちが生まれて来た瞬間があるはずです。登場人物たちにとっても、彼らのセリフは物語の展開の中で、今、生まれた言葉なのです。私たちが普段人と話をしているとき、用意された台本などない状態で、自分の中から生まれてくる言葉を話すのと同じです。この感覚を朗読にも取り入れると、「生きた表現」として聞こえてきます。書かれた言葉をどう読むかではなく、その言葉がどう生まれて来たかの時点にアプローチするのです。

意識することは、何度読んでも、「今、思う」です。

たとえば、「夕陽がきれいだった」というセリフがあったとします。過去形で書かれていますが、そのセリフを言っている今、登場人物と一緒に夕陽を見て、今、きれいだと思うのです。過去形で読んでいると、少し説明的になってしまうこともありますが、読むたびに今、思うことで、用意されていた表現ではなく、生まれたての表現になるように感じられます。

芝居ならば相手役の方がいるので、相手役のセリフにどう反応したくなるか、どう受け取るか、というあたりが「今」にアプローチする鍵になるのだろうと思います。ただ朗読の場合は相手役も一人でやらなければならないので、一人で「今」をイメージしていくことになります。でもそれは可能だと感じます。落語家さんも、一人で何役も語られていますが、妙に声を作って変えたりしなくても、まるでそこで二人の会話が行われているように聞こえてくるのは、「今」が毎回実現されているからなのだと思います。

この「今見る、今思う」は、セリフでも地の文でも、試してみて欲しいポイントです。物語の地の文は、「〜しました」「〜だった」のように過去形で書かれている文章もとても多いのですが、過去形で書かれていても、「今思う」のです。「桜の花びらが散っていた」と過去形で書かれていても、花びらが舞う情景を見ているのは、「今」なので、「今見る」のです。

「今、見る、今思う」を意識することは、イメージする、こととも深い繋がりがあると思います。活字に書かれていることを、映像として自分の中に、今、具体的に思い浮かべてみる。桜の木は駅前の一本の桜の木なのか、桜並木なのか、止まってみているのか、歩きながら見上げているのか。イメージは具体的であればあるほど表現に活きると感じます。声に出して読んでいる今、具体的な映像を思い浮かべられたら、それが声にも乗ります。

朗読は、朗読者が第一優先していることが聴き手にも一番印象強く伝わるのだな、ということをよく思います。たとえば朗読者が緊張していれば、緊張と闘っていることが、上手に読もうとしていれば、うまくやろうとしていることが聞き手に伝わります。つまりは朗読者が今、物語の場面を具体的にイメージできていれば、それが伝わるということになります。

私は仕事柄、活字を前にするとまずは間違えないように、正確に、淀みなく読むことをいつも自分に課していました。それも大事なことなのですが、そこに全ての神経を持って行かれると、緊張感と責任感に満ちてしまい、自分自身が物語の内容と一緒にいる余地がわずかになってしまいます。「今見る、今思う」を意識できているとき、ニュースやナレーション原稿を読んでいるような、断定的で硬かった声に少しゆとりが生まれ、文章も呼吸を始め、血液が流れだすような感覚が生まれるように思います。

受験生の「絶対合格！」という貼紙ではありませんが、私はこの「今見る、今思う」という言葉を紙に大きく書いて、目のつくところに貼っておいてもいいのではないかと思うくらい、朗読に役に立つ標語のようなものだと感じています。

大きな表現と繊細な表現で迷うときには

聞き手を前にしたとき、声の大きさはどのくらい出し、表現のサイズはどの程度にするのがいいか、というのは誰もが悩むことではないかと思います。これはいってみれば「空間との対話」にもなると思います。会場の大きさ、お客様の数、声の響き方など、もちろんマイクを使うかどうかによっても、大きく変わってきます。

これは私自身、朗読教室でたくさんの方と関わってきて感じることなのですが、朗読をやられる方の中には、非常に微細な感覚まで受け取れる感性を持った方が少なくありません。素晴らしいことですし、ぜひその感覚を表現にも活かしてあげて欲しいと思うのですが、得てしてそういう方は、大袈裟な表現や力の入り過ぎたわざとらしい表現を好まない傾向があるように感じています。私自身もその一人です。

ただ、その微細な感覚を表現したいと思うと、どうしても内に籠もったスケールの小さい表現になってしまいがちで、この折り合いをどうつけていったらいいものか、という葛藤をずっと抱えながらやっています。

結論から言うと、当日の会場を下見して、その広さをイメージして、練習のときからそのサイズで練習するのが良いということです。もし自分の得意とするよりも大きな表現が必要そうなときは、試しに練習の段階から大きくやってみるといいと思います。

表現のサイズも、ある程度「慣れ」というものがあるように感じています。大きなサイズにすると最初は違和感があるかもしれませんが、練習しているうちに、身体も感覚も、その大きさに慣れていきます。そうすると今度はそのサイズ感の中で、自分なりの繊細さにこだわっていくことができると思います。一度に完成形を手にすることはできないのですが、段階を踏んで歩んでいけば次第に大きさと繊細さの両立は、ある程度可能になってくるように思います。

大きな表現を手にすることの良さは、たとえば強い表現と弱い表現、あるいは濃い表現と薄めの表現、速い表現とじっくり味わう表現などに、はっきりとした差が表れることです。小さなサイズでは、朗読者本人がこだわって繊細に表現しているつもりでも、それが聞き手まで伝わっていない、ということがよくあります。せっかくこだわっているのに、伝わらなくては残念ですよね。

少しずつ表現を広げていくことで、聞き手に届きにくかった表現の濃淡が、大きなところは大きく、細やかなところはより細やかに伝わるように思います。結果として朗読者がやりたかったことが聞き手に伝わり、報われる感じが得られると思います。

もちろんそうは言っても、洋服と同じように、人それぞれに似合うサイズ感というものがあるということも、感じています。基準は、練習の段階で録音をしてみるなどして、自分が思い描いていた表現が、本当にその通りに表に出ているかどうか、です。聞いてみると、やっていたつもりが意外に平坦に聞こえるな、あるいは反対に力んでしまっていてイメージと違うなということがよくあります。まずはそれを修正していくところから取り組んでみるといいと思います。

二　自分との対話

朗読者の状態を良くするために

朗読者は、人前に出て見られている状態で、たった一人で長時間その場の空気を作る役割を持つことになります。そのため緊張や、間違えないだろうかという恐れ、きちんと伝えられるだろうかという責任感から生まれる重圧、あるいは上手だな、魅力的だなと思ってもらいたい欲、下手だな、わざとらしい読み方だなと思われないだろうかという自分との闘いなど、物語へ集中することを妨げる要素がわりとたくさんあるのです。

その朗読者の状態も含めて魅力となって伝わることもたくさんあるので、すべてをコントロールする必要はないと思うのですが、できるだけ朗読者自身が良い状態でいられるといいと願っています。

結論から言うと、朗読や表現というものに「正解」はないので、自分が感じたままに、伸びやかに、楽しんで読めることが一番良いと思います。といいますのも、聞き手の側に回ってみると、朗読で伝わるものは書かれた言葉や文章だけではなく、「朗読者の在り方」も大きな部分を占めるのだと感じているからです。

たとえば朗読教室の生徒たちの発表会で、聞きにいらしているお客様の様子を見ていると、多少物語によくわからないところがあったりしても、朗読者がその物語を好きなのだなということが伝わっていたり、朗読者が楽しそうに読んでいるという姿があると、聞いている人もなんとなく心がほどけていくように見受けられます。

そんなお客様の表情を見ていると、聞き手も読み手も物語を楽しんでいる、ということがいかにその場を豊かな空間にしてくれるものか、ということに気づかされます。読み手である朗読者の状態を良いものにするためにどんなことが試せるでしょうか。

自分との対話で気づいたこと

朗読というものが、いくつかの目に見えない対話が折り重なることで表現に昇華していくのだ、ということに気づいたのは、改めて学び直してからのことです。結果として気づいたことですが、学び直して自分が最初に取り組んだのは、「自分との対話」だったのだ、ということです。

文章自体を間違えずに、わかりやすく読むことは、比較的若い段階から得意だったように思います。ただ、朗読で、その物語が持っている魅力をできる限り豊かに伝えたいと思うと、いろいろな力が自分には足りないのではないかと長い間感じていました。何が足りないのか？ 声や表現の大きさやエネルギーが足りていない。聞いてくれている人に対しての心の開き方も狭い。自分の殻を破っていく思い切りの良さも中途半端。わりと全部足りない。

そして思い至ったのです。これは全て持って生まれた内気な性分と大きく関係しているな、と。内気な性格がいけない。全部自分の持って生まれたものが悪い、というところへ責任転嫁してみました。そこでハタと考えました。ならば世の中の内気な人は皆、表現者にはなれないのでしょうか。そんなことはないとすぐさま否定しました。内気だけれど素晴らしい芝居をする役者さんはたくさんいらっしゃる。音楽家も美術家も作家も、むしろ内に秘めたものを持っているからこそ、人の心を打つ作品を描くことができるのではないだろうか。

ではどうして自分は朗読でそれが満足にできないのだろうか。思い当たる節がありました。それは音楽の演奏家は楽器というものを使って表現する。画家は絵の具や筆を使って表現する。でも朗読は自分自身で表現しなければならない。そのことの不自由さが長年に渡って私をがんじがらめにしていました。表現する手段と、「私」という人間の存在に距離がなく、まるで自分自身を裸にしてさらけ出さなければいけないような、そしてそれだけは嫌だと抵抗しながら表現活動を続けてきていたのです。いってみればアクセルを踏む一方で、ブレーキもかけているようなものです。

でも、自分自身の裸をさらけ出している人の朗読なんて、誰が聞きたいでしょう？ もし私が聞き手だったら、あなたを聞きに来たのではない、物語を聞きに来たのだと感じると思います。

役者さんはどうしているのだろうか。芝居も自分自身の身体と声を使って表現しなければならない。歌を歌う人もそうだ。役者さんは「役柄」というものを自分の前に置き、最適な距離感での融合を試みているのかもしれない。歌う人は「楽曲」に自分の感情を預けるのかもしれない。どちらも恐らく役柄や楽曲のことを、とことん研究し、自分との溝を埋め、観客の心を打つものへと仕上げていくのだろう。

だとしたら私に足りていないのは、その研究なのではないか。役者さんにとっての役柄、歌い手さんにとっての楽曲。朗読においてそれに当たるのは朗読しようとしている作品だ。私の場合多くは物語。その物語を細かく研究しないうちから、表現力が足りないだの、エネルギーが小さいだの、自分の性格のせいにするのは、何かひどく考え方のバランスが乱れていないか。

まずは朗読においての自分の「役割」をはっきりさせてみよう、と考えるようになりました。朗読者の役割さえ明確にできれば、その役割を果たすことにもっと集中できるはずだと思ったのです。

「朗読者の役割」という考え方

では朗読者の役割とは、どんなものでしょうか。

まず、朗読は聞いてくれている人に届けるもので、聞き手と一緒に物語を味わうものだということを改めて確認してみるといいと思います。意外と、このことはうっかり忘れてしまうのです。朗読者の役割は、聞き手を物語の世界へ招き入れ、途中の展開を楽しんでもらいながら、無事に結末まで案内することです。一方的に自分の練習してきた読みを聞かせるのではなく、聞き手が付いてきやすいように、時には歩みをゆっくりにし、時には展開の興奮を一緒に味わえるようダイナミックなスピード感で、また場面の余韻に浸ってもらう「間」も取りながら、ともに旅をする。物語の終わりに辿り着けるまで案内できたら役割完了です。その役割に意識を集中することは、何より朗読者自身の大きな支えになるように感じています。

また、作品選び、という段階からこの役割を見ていくと、自分の心を捉えた作品の魅力を、朗読を聞いてくれる人にそのまま届ける、ということも役割の中に入ってきます。作品と聞き手を結ぶ最良の「媒介者」でありたい、という思いも私自身にはあります。このことを実現できるように、そして自分自身も選んだ物語を楽しんで伝えられるようにということに焦点を絞れれば、「どう見られるか」という不安や恐れから少し解放され、やるべきことが見えてくるように思います。

なんだか緊張や必死さで窮屈になっている自分に気づいたら、思い出してみてください。朗読者の役割は、作品と聞き手を結ぶ媒介者であり、聞き手と道中楽しく物語の結末まで一緒に旅をする案内人なのだということを。

感情移入と淡々と

朗読教室を訪れてくれる人からされる質問で比較的多い質問があります。それは、感情をこめて読むべきなのか、淡々と読むべきなのか、ということについてです。この質問を受けるたびに、やはり私は「どう読むか」よりも、まずは物語のことをちゃんと知ろう、という提案をします。これはどんな物語なのか、しっかりと構造を理解し、その構造通りに読めるように工夫をしていく。その作業を丁寧にやっていれば、感情を込めるべきところでは感情を込め、客観的に引いた目線で描写したほうが効果的なところではその位置取りで読む、という風にある程度適切にその物語を朗読するにふさわしい在り方が見えてくるように思います。

ちなみに、淡々と聞こえても朗読者は水面下で丁寧に感情表現をしている可能性があります。一方で、感情をこめて読んでも、それが適切な表現でなければ聞き手にはなかなか受け入れられない場合があるので、これはどちらかを選択するというような単純な問題ではないように感じています。それよりもまずは、聞き手に物語の旅を満喫してもらえるような案内人として役割を果たすためには、この場面ではどうすることが適切かを判断していく力をつけていきたいと思っています。

さらにもうひとつは、聞き手がどういう状況で聴くかによっても、変わってくると思います。「録音」で聞くのか、舞台のように「ライブ」で聞くのかによってもある程度の調整が必要になってきます。

家で、一人でじっくりと物語を楽しみたいのに、朗読者が過度な感情表現をしていると鬱陶しいと感じてしまうこともあるでしょう。また二百人くらいのホールで、生で朗読を聞くのに、ひっそりとした控えめな朗読をされるとなんだか物足りないと感じてしまうかもしれません。あるいは最近流行りの朗読劇のスタイルになってくると、出演する朗読者同士の表現のサイズ感を、ある程度合わせるということも必要になってくるのではないでしょうか。

その時々求められている形で、自分らしい朗読ができる、ということが望ましいのだろうと思います。なかなかそんなに器用にはできませんけれど、「届ける」相手や、空間の大きさをイメージして練習するだけでも、少し違うと思います。

これしかできないという枠に収まってしまわず、朗読をする場面によって、こんな形でも自分らしい表現で物語を伝えられた、という成功体験をたくさん積んでいけたらいいと思います。私はこういうやり方でやりたい、という基準を持っていることはその人の表現の柱になるでしょう。でもそれ以外のやり方は苦手なのだと決めつけてしまうのももったいない気がします。

人は、自分が思う以上に内側にたくさんの引き出しを持っているように思います。自分らしさというものも、自分が認識しているよりももっと広い場所にも存在しているかもしれません。作品にふさわしい表現を探っているうちに、こんな自分に出会えた、という嬉しい発見もあるのです。最初から自分の朗読のスタイルを決めてしまったり、正解をひとつに絞り込んでしまわず、まずは、作品と向き合うことが大切と感じます。

ちなみに私自身は「淡々とした朗読」は、最高級品かもしれないという気がしています。朗読者が過度な感情表現をしていないのに、聞き手の中に次々とイメージが広がるということは、凄いことだと思うのです。

私はスポーツを観るのが大好きなのですが、走る、泳ぐ、あるいは投げる、打つ、蹴るなどの熟練された選手は、形の個性こそ違えど、無駄のないフォームをしているように見えます。いきなりそこに到達したわけではなく、数をこなし改良を重ねた結果それを手にしているのでしょう。美しい姿勢で技を繰り広げる体操選手の映像がアップなると、血管が浮き出るほどに力を使いコントロールをしています。

なにごとに置いても、無駄がない、シンプル、淡々、という領域は究極です。朗読も同じように思います。理想の形へ近づくまでに、いくつものみっともない姿をさらけ出してこそ、少しずつ自分らしい在り方が見つかっていくのではないでしょうか。そこに至るまで感情移入も含め、怖がらず試してみるのも楽しい過程だと思います。

イメージは最強の表現力

朗読は、朗読者が第一優先していることが聴き手にも一番印象強く伝わるのだ、と感じていることは、前の項目でもお伝えしたと思います。ということは、上手に読もうとしていれば、うまく見せようとしているそのことが聞き手に伝わるわけで、全てがバレてしまうようで、とても恐ろしい、と思ったりもします。

でも逆に捉えれば、朗読者が今、物語の場面を具体的にイメージすることを第一優先にすることができていれば、それが伝わるということなのです。

私自身の体験で恐縮ですが、私の朗読の礎を築いてくださった山内雅人さんの教室、放送表現教育センターに通っていたとき、確か一九九二(平成四)年だったと思います。

山内先生がＮＨＫのドラマプロデューサーの方とともに演出された「劇読・平家物語万華鏡」という舞台に出演させてもらいました。手元に台本が残っていないのでどういう構成だったか残念ながら詳しくは思い出せないのですが、平家物語の中の代表的な章を抜き出して朗読劇として構成した大作でした。白拍子である「祇王」の物語、「義仲と巴」「那須与一」などを教室の先生方や、通っていたプロの声優・ナレーターなどが章ごとに主役を務め、生徒たちも多く出演しました。

私は「壇之浦の合戦」の模様を現場から伝えるという設定の役割をいただき、建礼門院がまだ幼い安徳天皇を抱いて海に身を投げるシーンなどを語りました。大きな舞台装置などは作らなかったのですが、私は舞台上の高い台に上ってステージを見下ろすように語り、見下ろすステージ上には全面を覆う大きな白い布が広がり、青い照明を当て、布をスタッフの人たちが上下になびかせることで海の波を描く工夫がされていました。今まさに身を投げる姿をイメージすることができ、戦の残酷さ、運命の悲しさを嘆く気持ちが自然と湧いてきたことを覚えています。

この当時から、私の朗読の課題は、聞きやすくわかりやすくは伝えられているけれど、表現力が乏しいということでした。ただこのときの語りだけは本番のあと、何人もの先生方から、あの語りは良かった、と言ってもらえたのです。うれしいと思いましたが、残念なことに当時の私には、なぜあの語りがそんなに褒めていただけるのかわかりませんでした。自分としてはいつもやっていることと、大きな違いはなかったように思っていたからです。

最近改めて学び直すようになって、ふと気づいたことがあります。それはあのとき、白い布が描き出す海の波を見ながら語ったことが大きな要因ではないかということです。そこには建礼門院の姿も安徳天皇の姿ももちろんなかったのですが、波をみつめることで、二人の様子や、周りのお付きの方の表情まで手に取るように具体的に自分の中でイメージできていたことを思い出したのです。

この「読んでいる今、具体的にイメージすること」がいかに朗読において大切かということを、私は改めて学び直す中で感じていきました。作品を練習するときも、イメージが細かいところまで具体的にできている場面は、自分の内側の思いと外へ伝える表現が、かみ合う確率が高いと感じます。

人に伝わっている朗読と、今ひとつ描き切れていない朗読。いってみればうまくいっているときと、いっていないときの違いが自分でちゃんと分析できていれば当然うまくいく確率は上がると思います。なかなか自分自身でそのことを自覚するのは難しいことではありますが、この「読んでいる今、詳細にイメージできているか」ということは、ほとんどの人が使える尺度ではないかと思います。

舞台装置がない、映像がない、役によって語り手が変わるわけでもない朗読というものにおいて、朗読者がしっかりイメージできている表現は、ちゃんと伝わります。それを受けとった聞き手がさらにイメージを広げてくれる瞬間こそが、朗読の魅力の根幹を成すものだと感じています。まさに聞き手と読み手の間に「架空の対話」が生まれているのです。

シンプルなことですが、奥が深い「想像する力」。聞き手にも読み手にも、この力を発揮できるようなそんな場を朗読によってつくることができたらこんなにうれしいことはありません。朗読は私たち人間には「五感」があるのだということを再確認させてくれるとても魅力的な場であると信じています。

上手であることは必要か

朗読が上手くなるためには、どうしたらいいのか。ということを時々聞かれます。

答はシンプルで、何度も読むことに尽きると思います。

ただ、上手くなることがいいのかどうかは、正直に言うとわかりません。読み方が達者になった人の朗読より、初心者の朗読に心を奪われることが少なくないからです。もしかしたら声に出して読むことに慣れてくると、技術を駆使して読んでしまうことがあるためなのかもしれません。

作品と誠実に向き合っている姿が、人の心を動かす力を持っているとしたら、技術や「やり方」は、時に聞き手と朗読者を結ぶ道を邪魔することがあっても不思議ではありません。とはいえ、聞き手がストレスなく物語の世界へ入れるようにするためには、ある程度読み込まれた朗読が必要です。

私自身何事も器用にこなせる人間ではないので、特効薬のようなやり方を知っているわけではありませんが、作品と朗読者が親しくなっていくために、比較的役に立っていると感じていることが二つあります。

ひとつは、朗読しようと思っている物語を全編書き写すこと。もうひとつは、暗記することです。このふたつをやると、その作品への理解が深まり、また自分の言葉として語れることへ近づけるように思います。

書き写す過程での対話

書き写すことについて。これは手書きではなくても、ワードなどで入力していくのでいいと思います。ただし写真などにとってコピーするのではなく、自分の手で一字一句打ちこんでいくことが大事です。目的は、声に出すのとは違う手段で作品を知ることです。声に出して読んでいるときは、きちんと表現できているかどうかが気になっていろいろ神経を使うところがあるため、視野が狭くなりがちです。自分で打ち直す、あるいは書き写していくと、物語の構造が良く見えて、新鮮な発見があります。

文字の字体も大きさも、自分が読みやすいもので、打っていきます。できれば自分が声に出して読むなら、ここで読点があったほうがいいなというところには打ち、原作にはここに読点があるけれど、読むときにはないほうが伝わりやすいと思ったら省くなど、読点を打ち直してみるといいかもしれません。もちろん、声に出して読まれることを想定して読点が打たれていると感じる場合は、それを大切にしてみると、作者の文章のリズムを感じられます。

また場面が変わるところにスペースを空けてみるなど、自分の理解が深まるための工夫はいろいろ試してみるといいと思います。

試しに、新聞のコラムなど短めのもので、まず新聞そのものを見ながら一度声に出してみてください。そのあと、同じコラムを全文書き写してから、もう一度声に出して読んでみます。恐らく内容の理解度が深まっているため、読みやすく感じるのではないでしょうか。

教室の参加者の中に、方言が強く、そのことの自信のなさから緊張が強く、なかなか文章をスムーズに読めない方がいました。一度書き写してみていただき、その後聞かせてもらったら、力を抜いて読めるようになっていました。一番変わったのは、どこで息継ぎをするか、ということです。自分なりに読点を打ち直したことで、普段自分が話すリズムで語れるようになったことと、文章の構造が見えて来たので、意味が伝わりやすい箇所で息継ぎをするようになったことです。

物語の場合は、量が多くて大変ですが、少しずつでいいので打ち直してみてください。私はこの作業が結構好きです。作家さんの文章のリズムが感じられたり、聞き手が耳だけで、しかもたった一度聞いて物語を理解するには、この場面を印象的に伝えることが大切かもしれない、など気づけることが多いのです。

そして書き写すことは、当然物語の文章と一緒にいる時間が長くなります。過ごす時間が長くなると少し相手と親しくなれるように、人が書いた文章とたくさん関わることで、朗読者である自分との距離も近くなっていくように思います。

少し暗記することの効用

私は公演などお客様に聞いていただく作品の練習は、毎日少しずつ暗記して練習していきます。そうすると文章が口に馴染んでいくことと、文脈ごと体に入っていく感じがするからです。目的はお客様に暗記して語っている姿を見せるということではありません。たまにそういう形で聞いていただくこともありますが、本番のときは基本的に本を持って朗読します。ただ練習の段階で暗記するまで自分の身体に馴染ませれば、これもまた文章が自分の言葉になってくるので、練習として取り入れています。

全文覚えるのはなかなか大変なことなので、試しに二〜三行くらいでも、何度もボソボソ小声で読みながら覚えてみてください。中途半端に覚えると、思い出すことに必死になり、物語の世界を味わうことや、繋がりがなくなってしまうので、あたかも自分の中からこの言葉たちが生まれ出てくるかのような感触になるまで覚えると、文章が自分の体に馴染んでくるのを実感できると思います。文字を見ながら間違いないように必死になって読んでいるのとは、違う感覚がありませんか？こんな風に文章が自分に馴染んでくると、私は語ることがなんだか楽しくなっていきます。

暗記するまで読むということは、それだけ何度も何度もその文章を口にする、ということです。ただ漠然と回数をたくさん練習するといっても、なかなか難しいことなので、暗記するということをひとつの目標にすると、自然にたくさん回数を重ねることになります。

文章を書き写すことについても、暗記するまで回数を重ねて読んでみることについても、もしかしたら私の要領が悪いだけで、もっと効率の良い方法で朗読を自然体で語ることのできる方もきっといらっしゃると思います。でも私自身はそんな風に作品との関係性を作っていくことがなんだか楽しいなと思いながら取り組んでいます。

棒読みの偉大さ

朗読する作品が決まって原稿を手にすると、ついいきなり感情をこめて読んでみたくなるかもしれませんが、まずは棒読みで音読するのが良いのかもしれないと思っています。

その理由は、自分から出た声や表現に、私たちは結構影響を受けると感じるからです。

よく作品の内容がわかっていないうちに、「なんとなく」声に出して感情表現をしてしまうと、それが身体に刷り込まれてしまう恐れがあります。そして、優しい表現をするときはいつも同じ優しさで、悲しいときもいつもその悲しさで、つまりパターン化した感情表現で全てを賄ってしまうことが少なくありません。

私たちは実生活では、その状況に応じて実に多彩な優しさや悲しさや、喜び怒り楽しさなどの表現をしています。その多彩さを朗読の中の表現にも生かしたいと私は思っています。そのためにはできるだけ表現の選択肢のフィールドを広くしておいたほうが、よりきめ細やかなリアルな表現をしていけるのではないでしょうか。

まずは棒読みで、英語でいうところの5W1H、誰が、いつ、どこで、何を、なぜ、どのようにしたかを、くっきり確認しながら読んでみます。声に出して読みながら、自分自身の中に内容を刻み込むように読みます。棒読みで読んでいくうちに、自然と感情が出てくるようなら、無理に抑えず、そのまま進んで構いません。なぜなら、それは恐らく自分の中でパターン化された表現ではなく、内側から湧き出てきた表現だと思うからです。

パターン化した表現と、自然と湧き出て来た表現の違いは、前者はどこか窮屈感や力みがあり、後者は伸びやかに放たれていくような感じがあるように個人的には思っています。自分自身でやっていても、教室の参加者が朗読するのを聞いていても、そう感じます。やっていくうちに段々、誰でも、これが捏造した感情なのか、湧き出るように生まれて来た感情なのかは自分で判断がつくようになると思います。

棒読みをしながら、自然と感情が沸き上がってきたらそれにまかせ、どこか力が入ってきたなと思ったらまた棒読みに戻って、先を読み続けていきます。作品の長さによっては、一回でまとめてその作業をするのは大変かもしれませんので、疲れたら今日はここまで、という形で何度かに分けて行ってもいいと思います。

棒読みはいろいろなことを教えてくれます。文章の構造や、自分にとって発音しにくい言葉の組合せの発見。感情を込めなくても、すでに文章が充分にそれを伝えてくれているのだなという気づき。自分にとって理解しやすい箇所と、すぐには理解しにくい箇所があることなどなど。初回の練習だけではなく、迷ったら棒読みをして原点に戻ってみると、助けられることもあります。

もちろん、パターン化された表現の全てが悪いわけではないのだと思います。聞いている人にとってわかりやすければそれでも良いのでしょう。ただ、私は朗読者自身が、何度同じ文章を読んでも新鮮に味わえることがとても大切だと感じます。それが朗読の楽しさだからです。早いうちに表現を固めてしまって安心したいかもしれませんが、じきにつまらなくなってしまうと思います。自分の中から予想外の表現が出てくる可能性の扉を、いつも開けておけたら読むたびに新しい発見があると思います。

発声・自分の身体を楽器と思う

私がマイクを使わない朗読劇の舞台に初めて出演したとき、いつも生の声で芝居をしていらっしゃる演劇の方と比べて、圧倒的に声のパワーの違いを感じました。そのことがきっかけとなり、ヴォイストレーニングを受けることにしました。ただ先にお伝えしておきたいと思うのですが、朗読において、大きな劇場の後方席まできちんと届く、サイズ感の大きい発声というものが本当に「似合う」かどうかは、今でも私の中で答えが出ていません。もちろんいろいろな朗読があっていいと思うので、人それぞれのやり方で良いと思います。作品の性質も大きく関係してくると思います。

ひとつはっきり言えるのは、大きなサイズ感で表現できる人が小さくすることは、少しスイッチの入れ方を変えればできるかもしれませんが、小さいサイズ感しか経験したことがない人が、いきなり大きなサイズで表現することは難しいということです。それならば、大きなサイズ感というものを一度学んでおいても良いのではないか、そんな思いからヴォイストレーニングを受けてみることにしました。

私がお世話になったトレーナーは、田中利江さんという方で、シンガーソングライターでもあり、プロとしてデビューしていかれる歌手の方や、趣味で歌うアマチュアの方、あるいは声優さんなど幅広い方たちのトレーニングをしていらっしゃいます。

私自身、自分が感じていた発声の問題は、今ひとつ伸びやかに声が出ていかない、ということでした。「いい声」を出そうと思っていたからだと思います。特にナレーターの仕事をするようになってからは、ひと声聞いて印象に残る声を出したいといつも思っていました。その全てがマイクを使う仕事でしたので、いかにマイクにいい状態で声を乗せるか、ということに意識が向いていました。実際にいい声かどうかはわかりません。いい声ではないと思っているから、いい声を出したいと思っていたのかもしれません。

要因として思い当たることは、もうひとつあります。演技をするのではなく、客観的な立場でわかりやすく伝える役割の仕事であったため、必要以上に感情が表に出ないようコントロールしていました。おそらくこのふたつがなんらかのブレーキとなり、伸びやかに声と感情を放つ、ということができなくなっていたのだと思います。もともとの内向的な性格ももちろん影響していると思います。

そんな私に、トレーナーの利江さんは、どうやって心のブレーキを外していくか、というアプローチではなく、身体のどこを使って声を出すか、という「仕組み」を、人体の骨格図形を用いながら教えてくれました。メンタルは一旦横に置いておいて、理論と実践で取り組んでいこうという手法です。具体的にやることが明確になっていくこのやり方は、私にとって新しい風が舞い込んでくるような楽しさがありました。

呼吸法についてはすでに習得していたので、私にとって目新しかったのは、その息をどのようなポンプ状態にして身体へ行き渡らせるかということ。さらにその息を身体のどこに当てて音(声)にするか、という意識の持ち方でした。

これらは当然、出したい声の高さ、音質、強弱、長短などによって意識する場所が変わります。利江さんは世界中のあらゆるヴォーカリストの声の出し方を研究しています。いろいろな歌手の歌を流しながら、この人はここを上手く使ってこの部分を歌っている、ということを具体的に示してくれました。

私の声を最初に聞いてくれたとき、利江さんは、顔の上顎をもっと使えそうだという点と、身体の後背面をもっと使うといいという二点をポイントとして上げてくれました。それらを使う感覚を身体に覚えさせる、ということが私のトレーニングの目標となりました。

上顎を使う点については、机などに下顎を固定した状態で、上の歯から上の顔を上下させる運動で、感覚を覚えました。ちょっと人には見せられない表情ですが。もし、今これを読んでくださっている方の中に、声が暗くなりがち、あるいは息漏れが多くて呼吸が苦しくなりやすい、などの症状がある方は、発音するときにこの上顎を使うという意識で少し改善できることがあるかもしれません。

もうひとつの後背面を使う、つまり背中側を、声の反響板としてもっと使うためのトレーニング法のひとつとして、喉仏を下に落として発声する、言ってみれば「あくび」状態にして声を出すことを試してみました。利江さんはそのモデルとしてカーペンターズのカレン・カーペンターさんの歌い方を挙げてくれました。カレンさんの歌う「クロース・トゥ・ユー」という歌を、可能な限り真似して歌ってみて、という課題でした。

私は音楽は大好きですが、カラオケというものが大の苦手で、人生で数えるほどしか行ったことがありません。歌う、という機会がなかったのです。そんな私がもちろんカレンさんの真似などできるはずはないのですが、何度も聞いてあとをついて歌っていると、本当に下腹部から背中側を上手に使って、後頭部のほうに響かせて歌っているのだということはわかりました。慣れない私がやってみると、ちょっとオエッとなりそうになるくらい喉を縦長に開くイメージです。今でもあの包み込まれるような歌声はどうしても出せませんが、やってみて、身体のこんなところまで使って声を出すのか、という発見が楽しくて仕方がありませんでした。

具体的に言うと、下腹で支えながら脇腹や背面の筋肉までも声の「共鳴版」として使う感覚です。歌の出だしの♬why do birds～♬からの一節だけ何度もやってみます。ときには、ヴォイスレコーダーに何度も吹き込みながら、ときにはお皿を洗いながらも♬why do birds～♬、と歌っている自分がいます。うるせぇよ、一人のときにやってくれ、と夫に言われながら、さらにわざと大きな声で歌う日々でした。

ちなみに、日常的に喉仏を下に落とす発声の癖をつけるのは、あまり良くないことだそうで、低音や太い声を出したいとき、また共鳴を増やすための、一時的なトレーニングとして取り入れるのが効果的だということです。

利江さんは、この歌のトレーニングで、英語の歌詞で歌ってみる、ということも狙っていたようです。日本語の口の動きや響かせ方は使い慣れているけれど、英語は普段日本語では使っていない口の動かし方や発音の仕方があるので、それもいい刺激になる、ということでした。

他にも、強く前に声を出す訓練のためにロックを歌ったり、上顎を使って高い音を伸びやかにするために、日本語の歌ですが「涙そうそう」を歌ったりしました。声を出すってなんと楽しいのだろうと思いました。ナレーションの仕事や朗読のときは、自分の身体がどこか硬く構えるのに、歌だとどうしてこんなに楽しいのだろうと思いました。何度も言うようですけれど、私は歌は下手くそなのです。でもプロじゃないのだから下手でいいのだ、という自分への制約のなさが、こんなにも楽しく声を出す感覚を呼び覚ましてくれたのではないかと思います。

そして気づいたのです。大きな声を出す、ということは頑張って大きく出すことではなく、伸びやかに響かせることなのだと。

これらのトレーニングを受けたことで、劇的に何かが変わったわけではありません。ただ、朗読の作品の練習をしていて、緊張や力みのために喉が詰まってくるような感じになったとき、歌ったらどの高さでどうやって出すかな、という風に置き換えてみるなどして、使える声の幅が少し広く、そして楽に出せるようになった気がしています。朗読の練習を時々見てもらう仲間にも、前より声に少し力が出てきた、と言ってもらえました。また最近の公演のあと、見に来てくださっていた仕事関係の方に、前より呼吸の使い方が深くなったのでは、と声をかけていただき、うれしくなりました。

多分、表に成果となって出てくるのは、そのように気づく人だけがかすかに感じるようなほんのわずかなことなのです。それで十分なのだと思います。何よりの成果は私が声を出すのが楽しくなったということなのですから。今でも舞台役者さんと一緒に朗読をすると、その力強さにほれぼれします。でも前のようにコンプレックスに感じなくなりました。私は私ののびやかさで、自分のしたい表現をすればちゃんとお客様にも届く、という気持ちが存在するようになりました。

声は、発声の仕方でどんどん磨いていけます。声を出すことのできる全ての人間が、その人なりの「いい声」を手にすることができると私は信じています。身体は楽器なのです。その楽器をいい状態にして使うことで、声の可能性はどんどん広がっていくと思います。

練習なしでもあなたは特別

味わってもらえる朗読を目指していろいろな角度から、自分が取り組んでいる方法や感じていることについてまとめてみましたが、これはきっと続ける限り発見が続くもので、まだまだ勉強したいことがたくさんあります。でも、朗読とはそんなに難しいことなのか、と思われてしまうとそれは悲しいです。スポーツでも音楽でもどんな分野のものでも同じだと思いますが、どこまでこだわって取り組むかは自由です。

朗読にはあまり練習などせず、声が出せて目の前に文章があれば、誰でもすぐにやってみることができるという良さがあります。それでも楽しむことができるのが朗読の素晴らしさです。

私自身には子供がいないのですが、友達のように仲良くしてくれている姪や甥がいます。その姪の一人が一昨年子供を産みました。一歳半になるその子、男の子ですが、今母親に絵本を読んでもらうのが大好きです。中でも『はじめてのおつかい』(福音館書店)という絵本がお気に入りです。何度も何度も読み聞かせをしているので姪はもうその一節を覚えてしまっていて、ご飯を食べさせながらちょっと子供がそわそわし出すと、本がなくてもその一節を語りだせます。すると、途端にそわそわしていた子供の身体の動きが止まり、目が輝き出すのです。そこで機嫌をとってすかさずまたご飯を食べさせる、という姪の工夫にも感心しますが、私は何より母親の読み聞かせの力というものを感じざるを得ませんでした。

昨年末、一緒に泊りがけで出かけたときに、夜なかなか寝付かないので、姪とその子と三人で横になって『はじめてのおつかい』を、今度は私が読んでみました。初めはお馴染みの一節が出てきたので、その子の目が輝きましたが、お話が進むに連れて、段々目がキョロキョロし出しました。お母さんと何かが違うと思ったのでしょう。もちろん私は練習の成果を発揮しようとしたわけではなく、その子の耳元でささやくように自分も物語を楽しみながら読んではいたのですが、聞き手であるその子の心を捉えることに、成功したとは言い難かったのです。おかあさんの声、おかあさんの語りかけが良いのに違いありません。

ここまでこんなに長々とあれこれ、どうしたら物語の世界が聞き手に伝わるか、ということについて、言葉を尽くして書いてみましたが、自分の大好きな人がただ声に出して自分のために読んでくれる、という魔力の前では、そんなやり方など一瞬にして吹き飛んでしまうのです。ただ読んでくれる、それだけでいい。これも朗読の偉大な力です。

第四章　朗読を活かす対話　チームでも取り組めるのです

一　朗読者同士の対話

分かち読みが生む奇跡

朗読は、一人でひとつの作品を読むのが基本の形です。

最近は「朗読劇」という言葉を耳にする機会も増えてきており、舞台などで様々な分野の方が取り組んでいらっしゃいます。朗読劇というのは、何か決まった基準のようなものがあるわけではないと思うのですが、登場人物ごとに役が決まっていて、地の文を何人かの人で分けて読む、という形が多いように思います。

こうすると聞いている人にとっては、動きのないお芝居のように見えて、一人が読む朗読を聞くよりは、わかりやすい印象を受けると思います。少しラジオドラマに近い感じがあって、それを目の前でやっている姿を見るという感じもあるかもしれません。これはこれで聞く側の緊張が少し和らぎ、うまくいけば楽しんでもらえるものになると思います。

ただ、役を決めて演じてしまうことによって、人物のイメージは固定されてしまいます。聞き手の中で物語の人物について、あんな人かな、こんな人かなと想像を巡らす朗読特有の楽しさは少し奪われてしまうかもしれません。

一方、朗読する側にとっては、何人かで協力してひとつの作品をつくっていくわけですから、練習の過程で、一人では気づけなかったことを発見できることがあります。

ひとつの物語を、配役を決めて数人で読んでいくものを朗読劇といいますが、もうひとつ「分かち読み」というやり方があります。

物語の場合で言いますと、セリフ以外の地の文を、何人かで交代しながら読んでいくことをいいます。どこでどう交代するかは、演出者の自由で、いろいろなことが試みられます。場面ごとに語り手を変えていくやり方もあれば、同じ人物の内面を描写している部分を担当する人と、外側の行動などを描写する部分の担当をする人、時代背景や人物の説明などの部分を担当する人などというように、内容によって担当を決めることもできます。

私自身は、教室の参加者の朗読劇を演出するときは、場面ごとに語り手を交代するのは、なんだかいかにも「便宜上」という感じがしてあまりやりません。もう少し細かく、語りの性質によって、朗読者を交代していきます。効果的にできると判断した場合は、文章の途中でもAさんからBさんへ受け渡していくなどのやり方をすることがあります。

こうすることで、一人では出せない臨場感や膨らみが生まれてくることがあり、まさに「分かつ」ことの効果が狙える感じがするからです。うまくいけば、数人で受け渡していくことの語りが生み出す「うねり」のようなものが聞いている側にもダイナミックなものとして届くと思っています。うまくいけば、と書いたのは、下手をするとただバラバラの語りを聞かされている印象になってしまい、かえって混乱を生んでしまうからです。

うまく生かせるために試せることは、読み取りの段階で、それぞれの場面の表現の方向性について共通の認識を持つ、ということがひとつ。もうひとつはいかに呼吸を合わせるか、ということです。ひとつの文章から次の文章へどう受け渡し、次に読む人は前の人からどう受け取るか、このリレーのバトンのようなやりとりが繊細な部分まで合ってくると、分かち読みならではの楽しさが生まれます。

たとえば、今、私の朗読教室で、発表会へ向けて六人のクラスでひとつの作品の練習をしています。その作品の中で、スーパーのレジ係の女性たちが、どんどん機械化されていく仕事内容について語っていく場面があります。その表現について、昔は全部手打ちでやっていた作業なのに、今はバーコードに読み取らせなくてはならず、慣れなくて大変、という方向で語っていくこともできれば、機械化にどんどんついて行っている私達ってすごいでしょ、と誇りに思っている方向で語っていくこともできます。

どちらにしても、全員で同じ方向に向かい、なおかつ個性の違う声や気持ちの表し方で語ることで、テンポ感が生まれ、証言が積み重なっていくような厚みが生まれます。人によって方向性が違うと、伝えようとする思いがバラバラになり、聞き手に混乱が生じてしまいます。

あるいは一人の人間の葛藤を描く場面があったとします。この場合は、相反する気持ちを別々な人間が語ることで、その葛藤ぶりを臨場感をもって伝えることができる、というケースもあります。物語の場合は滅多にやりませんが、詩などを数人で分かち読みする場合は、「言葉の色合い」を声によって描くために、センテンスによって朗読者を変えていったり、ある場所では全員で同じ言葉を声を合わせて読む、などということもします。

このとき大事なことは、表面上に変化をもたせるだけの「やり方」に終わってしまわず、なぜそこは声を合わせるのか、の認識を確認して協力してその表現を目指すことで初めて効果的になると感じています。

幸いなのは、この分かち読みに対しては、こうするべきではない、とか、こういうやり方はいけない、という制約がないことです。結果としてあれは却ってわかりにくくなってしまった、とか、表面上の実験に終わってしまった、ということはあると思いますが、試してみることについては、誰も咎めないと思います。どちらかというと、モノトーンなイメージのある朗読の中で、とても自由に開かれた領域がこの分かち読みかもしれないと感じています。そして、数人で分かち読みの練習をしたあと、一人で同じ作品を朗読してみると、朗読で出せる表現の立体感や幅を、以前より広く使えるようになることも少なくないように感じています。人間、一人の力というのはやはり限られたものだと思いますが、数人で協力した体験が一人の幅を広げることはあるのではないかと思っています。

二　朗読と音楽のコラボレーション

私自身が長年朗読の活動の中で特にこだわってきたのが、朗読と生演奏で物語の空間をつくる、ということです。なぜこれをやっていこうと思ったかというと、言葉は聞き手にとって「情報」として入ってきます。いくつか連なった文章として届くと、聞き手は頭の中で意味を租借したり、映像を浮かべたりするなど、なんらかの「変換」を行って物語を追っていきます。言ってみればとても「能動的」に聞く姿勢が求められます。

五分や十分くらいでしたらそれもまた悪くない時間なのですが、それよりも長いものを聞いてもらうとなると、集中力を保つことも大変になりますし、疲れてもきます。そこで音楽の力を借りることを考えました。せっかく生で朗読を聞いてもらうなら、音楽も生演奏で、お互いに呼吸を見ながら、今、ここでしか生まれないものを作っていきたいと思いました。

これは大変贅沢なことなのですが、面白そうだといって一緒に取り組んでくれるミュージシャンの方はたくさんいらっしゃいました。私自身は小さい頃にピアノを少し習った程度で、音楽については全くの素人です。私が自分のイメージを言葉で伝えると、ミュージシャンの方が意図を汲んで音にしてくださいますし、こんなこともできるよと提案してもくれます。さらには、私の朗読の表現を聞いてアレンジを変えてくれるなど、言葉以外の感覚で成立しているところもあります。

私が共演してきたミュージシャンは、皆さん作曲もなさるか、即興演奏のスキルを持った方たちです。いつもいつもうまくいくわけではなく、お客様の何人かが、音楽の主張が強すぎて物語の世界に入っていけなかった、という感想を残していったライブなどもあります。

このあたりのバランスは、紙一重の難しさであることも確かですが、私一人では決して生まれて来なかった表現が、音楽の力によって引き出されることもたくさんあります。それこそが誰かと、あるいは異なるジャンルの表現手段と一緒にやる面白さだと、感じています。

もし朗読と音楽のコラボレーションということに興味を持つ方がいらしたら、うれしいと思い、ごく簡単にですが、私が音楽と一緒にやるときに、こんな点を心がけると良いのかなと感じていることを書いてみようと思います。

物語の世界へ誘う

基本的に私は、ドラマや映画の音楽の使い方というのを参考にしています。特に映画の分野では音楽の使い方に流行があり、昔は大きなメロディを使って場面を盛り上げたり、涙を誘うようなものがたくさんありましたが、今は無機質なものが使われていることも多く、新しさを追い求めるならば常に勉強をしなければ「古臭い」音楽の使い方になってしまうのだと思います。

でも私は結構古臭い人間なので、あまり新しさや斬新なことは自分からは求めません。そのあたりは一緒に組むミュージシャンが若い人であれば、私の望みを、古臭くならないよう、うまく融合してくれていることも多いように感じます。

そうした前提で書かせていただきます。音楽には、物語の世界へ誘ってくれる力があります。これからどんな物語が始まるか、音楽にその空気を創ってもらうという役割をお願いすることがあります。ただ、いかにも楽しそうな、とか、いかにも切なそうな、というわかりやすい世界観ですと、聞き手のイメージをこちらから限定してしまうことになりかねないので、あくまで聞き手の想像力を柔らかくしてもらえる雰囲気づくりが大切かなと思っています。感情の押し売りになってしまわないような、ということでしょうか。

私自身は、自分自身が語りだしやすいかどうかをポイントに判断します。自分一人で練習していたときとは違うけれど、その音を聴いたら、こんな風に語り出したくなった、という現象がよく起こります。それはまるでまだ使っていなかった自分の中の表現の引き出しが開くようでとてもワクワクする瞬間です。こういう感触はぜひ大事にしたいと思います。イメージと違う、その音楽だと自分のやりたいことと違う方向へ引っ張られるというときは、はっきりとそのことを伝え、どんな方向へ行きたいか、ということをできるだけ具体的な言葉にして伝えるようにします。

時の経過と場所の移動を表す

そのほか音楽の効果が生きる場所として、場面が変わるところ、止まっていた人間が歩き出すなどの動きを出したいところ、その場面を印象付けておきたいところ、あるいは説明描写が長くなるので途中から音楽に寄り添ってもらうことで、聞く側の集中を助ける、などという使い方もあります。

場面が変わるところというのは、物語の中で前のシーンから少し時間経過があったり、場所が変わるなどしています。本来は語りの変化で、そのことをきちんと伝えられることが大切なのです。でも効果的だと判断したいくつかの場所に限って、音楽の力を借りてみると変化の種類が増えるように思います。音楽によって物語の舞台が変化したことを知らせ、新しく語り始めることで聞く側もわかりやすくなりますし、空間の雰囲気ごと変化させられる効果があると感じています。

先日公演にいらしてくれた音楽プロデューサーの方が、朗読と音楽をバランスよく組み合わせると、音楽はいい感じのクールダウンの役割を果たしてくれますね、と感想を言ってくれました。聞き手側にとっての素直な感想だと思います。言葉を追いかけて集中していたところへ音楽が来ることで、頭を休めて感覚を味わう、そしてまた次の場面へ一緒に歩きだす、というような一体感を持ってもらえたら、朗読と音楽と聞き手の対話がうまくできているということだと思います。

言葉では書かれていない心情・情景を描く

物語には活字には描かれていない心情などがたくさんあります。あるいは風景などの描写で、その風景を登場人物がどんな思いでみつめているかなども、文字としては書かれていません。

こうした文字になっていない部分をイメージしてもらいたい、というところなどは音楽の得意分野ではないかと感じています。人物が強がって無理をして前向きな言葉を話しているシーンに、そっと温かな目線の音楽を入れてあげるアプローチ、あるいは反対に無理している痛々しさを音で表現する形で寄り添う形など、音や音楽は人物を見守っている側のイメージを刺激することができるように思います。

また、たとえば情景描写の場面など、もし語りが雄弁にその風景・状況を表現していたら、そういう場所にはむしろ音は入れず、そのあと朗読とは重ねずに音楽を少し長めに聴いてもらうという手法もあると思います。こうすることで情景の余韻を染み込ませてもらえたら、朗読からも音楽からも物語の世界を綴れると感じます。

どんなコラボレーションでもそうだとは思うのですが、朗読と音楽が同時にたっぷりの表現をする、ということはあまりなく、どちらかがたっぷりと表現しているときは、もう一方は控える、というようなバランスが大切だと思います。

どこからどこまで寄り添うか

声と言葉での朗読が続いてきたところへ、音がどう入り、どう音が止まるか。この始まり方と終わり方は、とても繊細に気遣うところです。この入り方や、終わり方が意図するものと違うものになると、朗読と音楽の融合はうまくいきません。生演奏で朗読とともになさるミュージシャンは、おそらく皆さんそのあたりを実に見事に呼吸を合わせてくれているのではないかと思います。

まず音が入るタイミングについては、音楽が先に入ってから朗読があとを追いかけるのか、朗読が少し語ってから音が参加してくるのか、両方やってみてしっくりくるほうを選んでみるといいと思います。また前のシーンでは音が先に出たから、このシーンでは朗読が先に出るなど、変化をつけたほうが作品全体のバランスとしてうまく融合するようにも感じています。

音の入り方について。朗読とうまく融合する、あるいは反対に敢えて融合しない形で音を使うという場合もありますが、いずれの場合も、入り方の音の強弱、テンポ、質感、間合いなどに注目して、お互いの呼吸を見ていくことがポイントだと思います。人間の感覚というのは実に敏感なものなので、わずかな呼吸のズレも、聞き手は感じ取ってしまいます。朗読と音楽の場合は、ほとんどのケースで演奏する側が朗読に合わせてくれることになると思うので、入って欲しい間合いについては、もう一呼吸早く入って欲しいとか、もう一瞬余韻を大切にしてから入って欲しいなど、細かくリクエストを出して呼吸を合わせていくといいと思います。

終わり方のタイミングについても同じくで、まず、文章の終わりとともに終わるのか、そのあと少し音楽を聞かせてからおわるのか、文章の途中で音を切るならばどのタイミングにするのか、その場合の切り方は消えていくように、なのか唐突に終わることでの効果を狙うのかなど、どう終えるか、ということひとつでも様々な効果が狙えます。効果が狙えるということは、うまくいかないとバランスを乱すということでもあるので、朗読にあまりいい影響を及ぼさないと感じる箇所は、そこは音楽を入れないと割り切ることもひとつの勇気だと思います。

言葉と音の相性

音と言葉は性質の違うものです。また声と楽器、これもボリューム感の違うものです。「歌」ならば声もひとつの楽器になり得るのでしょうが、言葉数の多い文章を語っていくとき、声と音が重なると声は圧倒的に聞こえづらくなります。

聞いて欲しい言葉を遮らない音楽の存在のさせ方というのが、朗読と音楽のコラボレーションのときには気を配るところだと思います。たとえばとてもメロディがきれいな音楽が語りの後ろで演奏されていると、聞き手はついそのメロディを聞きたくなってしまいます。また言葉の後ろにいくつもの和音が重なるような場合も、音に厚みがあり過ぎて、言葉が聞こえづらくなります。

そのような場合、「音数」を減らしてもらうような調整をしています。敢えてメロディを弾かずコード進行だけで寄り添ってもらうとか、音を鳴らす回数を減らしてもらうという具合です。その分言葉と重ならない場所で思い切り演奏してもらうなどして、音楽が単なるＢＧＭではなく、音楽も一人の登場人物になるような在り方を探ります。

音をどういう効果で使うかにもよるのですが、朗読する内容に寄り添ってもらいたい場面では、この音数と言葉とのバランスが大切です。逆に物語の展開を音楽側から後押ししてもらうような使い方もあって、そういう場合はクライマックスに向けてどんどん音数を増やし、朗読とともにボリューム感も上げて印象づけていく方法などもあります。

判断の基準は、物語の展開を伝える中で、その場面がどういう在り方であるのがふさわしいだろうかということだと思います。演奏家とたくさん話ながら決めていくといいのかなと思います。

お互いを活かすためには

最後に作品全体を通して、どのくらい音楽を入れるのが適切なのか、という点について書いてみたいと思います。これはもちろん、朗読と音楽をどういうバランスで考えるのか、ということと関係します。あくまで朗読が主で、音楽はサポートに回るのか、ある程度音楽にも物語の表現に加わってもらうのか、その方針を決めて、それに見合う形にするのが良いのだろうと思います。

ただ、もし音楽を物語の中にも入れていくのであれば、ある程度の回数、入れたほうが良いと私は感じています。忘れた頃に音楽が入ってくると、唐突に感じられるからです。聞き手側にも心の準備のようなものがあって、物語の導入部分である程度音楽とともに語っていくと、ああこれは朗読と音楽で物語を綴っていくのだな、という準備ができます。

ところが遠慮がちな使い方をすると、むしろ朗読と音楽の融合が難しくなり、かえって朗読だけにしてもらったほうが、気が散らなくて助かるのだけどな、というような感覚にさせてしまいがちです。こうなると、せっかく音楽の演奏に入ってもらうのに演奏者側にも失礼になりますし、聞き手の混乱も起こします。つまり音楽を入れるならある程度の頻度で入れる、もしくは最初と最後だけ、というような割り切りをする、あるいは全く使わない、という潔さも大切だと感じています。

終章　対話の可能性

朗読は懐が深い

私が朗読を学び始めたころは、まだ趣味として朗読を習う、という人は本当に一握りだったと思います。その後、様々な先輩方の努力の成果もあり、急速に朗読人口が増えました。一般の人の趣味としてだけではなく、俳優・声優・ナレーター・アナウンサーなど、それぞれの分野で活躍している人たちが朗読に取り組んでいます。演劇や映画の演出家・監督の中にも朗読を使った舞台の演出を手がけている方が出てきています。どの分野の方にも、それぞれの分野で培ってきたスキルがあり、その中に朗読に活かせるものがあるからだと思います。

このことは朗読という表現が、いかに多様な可能性を持った領域であるかということを示すものであり、またこうでなければならないという価値観に縛られず、いろいろ試してみることができる分野でもある、とても懐の深い表現方法だということを現していると思います。

正直に言いますと、私の中にはいくつかの、朗読とはこうあるべきではないか、とか、朗読でこれをするのは邪道ではないか、というような「本来の在り方」と勝手に名づけた、自分流の価値観が時々葛藤の要因となって姿を見せます。でも、それを訴えたところで、あまり豊かな方向に向かう感触はありません。

たとえば私自身は、小さいけれど濃密な世界を描けるところに朗読の魅力を感じています。一方大きな舞台でフルオーケストラとともに、アニメ声優さんがキャラクターの個性のまま、衣装も着て語るような壮大な演出で朗読を見せるものもあります。

俳優さんやタレントさんの「有名性」を使って、朗読を売ろうとしている魂胆が見えるものもあります。そういう時代の流れのようなものをみつめながら、ひとつは、自分はどういうことを大切にしたいかをみつめる鏡にしたいと思っています。もうひとつは受け入れたほうが、世界が広がると感じてもいます。

私自身も、演劇の世界の人たちと朗読劇というものをやり、少し動きを伴った表現を取り入れた舞台に関わったことがあります。演劇ではないのに動く、というのはどうなのか、と迷いました。するとお客様の中に、想像力を使わなくて済んで、これはこれで楽に楽しめた、という感想を告げていってくれた人がいたのです。もちろんそのほかのお客様の中には、別な感想を持った方もいらしたに違いありません。ただ、その方の感想を聞いたときに、自分で勝手に朗読というものの可能性を閉ざしてはいけないのかもしれないない、ということを思いました。私が思っている以上に、朗読というのは懐が深く、自由に遊びまわることも制限しない分野なのかもしれないという思いも湧いてきています。

だからといって今後自分がどんどん演劇的な朗読をしていこうと思っているかというと、その可能性は低いのですが、少なくとも朗読というものが様々な在り方をすることで、多くの人が朗読に触れるようになることは間違いありません。

一方で、朗読を学ぶ、という観点からみると、朗読は、専門家というのがまだまだ少ない分野だとも感じています。様々な表現のプロたちが、「朗読も」やっているというのが実情のように思います。それはつまり朗読について専門的に探究している人が少ないことを意味するものでもあり、その面白さや、役立つ指導法のようなものがなかなか確立されにくい状況を生んでいるとも考えられます。

今後、それぞれのプロの人が培ったスキルや練習法の中で、朗読の学びに取り入れていけるものが今よりも広く共有されるようになっていったら、朗読というのはまだまだ成熟していく可能性を秘めた分野なのではないかと思っています。

個人的には、アナウンサー出身の身としては、聞きやすく、癖がなく、内容がよく聞こえてくる読みの基本の学びには、アナウンサーのスキルはとても役立つと感じます。

一方、表現としての、あるいはエンターテインメントとしての朗読を見たときは、恐らく演劇を中心とした俳優が学ぶ勉強法が大いに参考になるでしょう。

さらには、朗読には本の内容や意図するところを「読み取る」ということが表現に大変役立つので、そのあたりは作家・演出家の目線から学べることがたくさんあるように感じます。

せっかくいろいろな表現者が興味を持つ分野になってきているのであるならば、その豊かな力が持ち込まれることを何かもっとプラスの方向へ変え、朗読そのものの魅力を深めていく形へ昇華させられたら、朗読は本当に魅力的な芸術のひとつになっていくのではないか、と希望が広がります。

教室という場がくれるもの

朗読を始めて四十年あまり。朗読者としては、聞いてくださった方が少しでも、朗読って面白いな、と感じてもらえる時間と空間を作りたいという目標で、日々歩んでいます。また、朗読教室にいらしてくださる方々に対しては、朗読や物語そのものの楽しさを体験して欲しいことはもちろん、自分の中に、こんな表現力がまだまだあるのだ、というご自身との出会いの場にもなったらうれしいと思いながら続けています。

何事も、自分の中で「こうしたい」「ここを磨いていきたい」ということが具体的になっているときは、誰かに助言を受けなくても、自分のやり方、自分のペースで深めていけると思いますし、それが、その人らしく進化していくことに繋がると思います。

ただ、どこに問題があるかわからない、どのようなアプローチの仕方をすれば良いかわからない、というときは、他の人のやり方が参考になったり、客観的な意見に気づかされることがあります。

今回朗読について自分が体験し、気づいたことを記録しておきたいと思うようになった気持ちの中には、同じような迷いにぶつかった人や、朗読に興味を持っているけれど一歩が踏み出せない人たちにとって、何かのヒントやきっかけになったらうれしいという思いも含まれています。

「声の出し方」や「読み方」については、様々な方たちがすでに素晴らしい本を書かれているので、私は自分自身が悩んでいたことへの対処法や、着目してみたら朗読がさらに面白くなった、と感じたことを中心に書いてみたいと思いました。

十五年ほどまえから、少人数のグループレッスンと、マンツーマンの個人レッスンふたつの形で朗読教室を行っています。実は人生の計画の中でこのようなことをする予定は正直に言うと全くありませんでした。何かを人に教えるような立場につくことはイメージが湧きませんでしたし、それゆえ大学でも教職課程というものには目もくれませんでした。誰かのためよりも、自分自身が楽しい人生を送りたいと思っていたように思います。

もちろん、それは今でも変わりありません。ですから教室という言葉を便宜上使っていますが、実質、私の朗読教室でやっていることは、「感じたことを伝える場」だと思っています。あなたの朗読を聞いているとこんな感じがする、こんなものが伝わってきた、それはあなたの狙いと一致していますか？　ということを確認し合う場。もし一致していなければ、どこに問題があって、それを改善するには何ができるだろう、ということを一緒に考える場にできたらという思いで続けています。

残念ながらそんなに器の大きな人間ではありませんから、自然な成長を大らかに見守り続けられる忍耐強さをいつも持てるわけではなく、こうしたらいいと思う、ということをついつい言ってしまい、自分の思う方向へ引っ張ってしまっているな、と反省することもしょっちゅうです。

最近読んだ本の中に「涵養」という言葉が出てきました。辞書を引いてみたら、「水が自然に染みこむように、無理をしないでゆっくりと養い育てること」とあります。これが私の憧れの姿だ、と現実との乖離に頭を抱えました。自分の育ってきた時代も、生きてきた世界も、素早く、数字に表れるようなわかりやすい結果を求められることが多く、私自身の中にも、人が目に見えて変化していく様や、新しい力を使えるようになっているとはっきり感じる瞬間に、喜びを感じるところがあるように思います。

でも、目に見える成長があるときは、誰の力を借りなくてもその人は歩んでいけるときです。むしろ停滞してしまっているとき、なかなか芽が出てこないと考えこんでしまったときに、一緒に根気よく水やりをできるような、そんな存在でありたいというのが私の永遠の目標です。夫に言わせるとそんなのは「幻想」だね、とのこと。確かにそうかもしれません。でも幻想を持つことが前に進む力になるなら、大いに利用したいと思っています。

ちなみに、教職課程すら興味を持てなかった私が、なぜ教室をやっているのか。

それは三十代の終わり、当時ナレーターとして所属していた事務所が、ナレーター・声優を目指す人のための養成所を開設することになりました。そこで朗読とナレーションの授業を担当する講師になることを社長から依頼されたことがきっかけです。年齢的にもまだまだ若輩者でしたし、技術を教える、と思うとあまり気が進まない気持ちでしたが、現役で仕事をしている人に講師になって欲しいという社長の言葉に背中を押されたことと、「人を応援する」という在り方ならできるかもしれないと思ったのです。

教室をやってみようという思いに、もうひとつ影響を与えていることがあります。ちょうど三十歳になったときに病気をして、子供を持つことをあきらめる選択をしました。これからまだ続く人生の中で、予想していたより自分にとって仕事というものが大きな柱になっていくのかもしれないと思いました。そう思うと、このままでいいのかと、少し仕事の将来について悩んでいたとき、当時担当していたラジオの医療番組で出会った精神科の医師が、少し視野を広げてみたらいいのではないかと、ご自身が関わっていらっしゃる勉強会に誘ってくださいました。

「コミュニケーション」をテーマに、様々な仕事の人たちが、関わりの中で、人がどう力を発揮していけるかについて学ぶ勉強会で、医師や学校の先生、サラリーマン、あるいは会社の人事担当で人材育成に携わっている方や経営者の方など、私自身の普段の仕事では出会えない方たちと知り合えました。

そうした方たちとの関わりの中で、ひとつの世界の価値観に縛られ、自分を中心にした物の見方しかできなくなっていた視界が、少しずつ広がっていくような感じがし始めていました。自分がやっている仕事も、もっと世の中や人との関わりへ広げていくことができるのかもしれないという見方をするようになったのです。そのことも、養成所の講師を引き受けてみようという気持ちになったことと大いに関係しているように思います。

実際に養成所の仕事が加わり、プロの声優・ナレーターを目指す人たちが、本来持っている力をのびのび発揮できるためにどんなアプローチができるかを考えているうち、話すことや読む仕事では使わなかった部分が刺激され、予想外の楽しさを感じている自分がいました。結局養成所の仕事は、自分自身の朗読と音楽で空間をつくるプロジェクトを本格的にやっていくために、三年で辞めることにしたのですが、とても楽しく生きがいを感じる三年でした。

この体験のおかげで、一人ではなく、人と何かをすること、人がもともと持っている力を伸び伸び発揮できるための場をつくる、ということに、自分はかなり興味があることを知りました。そこから数年後、プロを目指すためではなく、一般の方たちが趣味のひとつとして朗読に取り組む場をつくり、上手さよりも、それぞれの個性が生きる朗読を目指してともに学ぶ場にしていけたらと、教室を発足させました。それこそ「涵養」の大切さを思って始めましたが、時に情熱過多になっては反省をする、ということを繰り返しながら続けています。

教室には、様々な仕事や家庭のことで人生経験を重ねた方や、仕事をしながら朗読を楽しんでみたいという若い方など、幅広い年齢層の方がいらしてくれています。朗読を聞かせてもらうと、一人一人のお人柄があふれ出てきます。どの人の朗読からも、誠実に生きている姿勢が伝わってきます。人間というのは、普段は取り繕ったり、表向きにサービスしてしまう一面を持っていると思いますが、朗読する瞬間は、そうした役割を一端脇に置き、思わずありのままの姿を見せてしまう、朗読にはなんだかそんな力があるようなのです。

同じ作品を複数の人に読んでもらうと、ひとつとして同じものはなく、個性なんて探しに行かなくても、もれなくそこにあるのだ、ということにも気づかせてもらいます。

また単純に、人の声で物語を読んでもらうことって、贅沢な体験だな、とも思いました。声には温度があり、息遣いがある。朗読者の物語に対しての共感も味わいとなって伝わってくる。聞き手にはそれが小さな波動となって届き、普段あまり揺さぶられない心の奥のほうに波紋が起こる。豊かな体験なのだと感じました。いってみれば、教室の参加者たちによって、私は朗読の魅力の原点に改めて出会い直せている、そんな気がします。

私自身の体験や引き出しが増えれば、教室に参加してくれている人たちにも、提供できるものが豊かになっていく。その思いが、もっと楽しく積み重ねていきたいというエネルギー源になっていることに感謝の気持ちでいっぱいです。

言葉の感性

私が朗読を教わった山内雅人先生は、よく朗読には「言葉の感性」が大切だということをおっしゃっていました。当時はまだ言葉の感性ということの意味がよくわからず、また先生ご自身に突っ込んで質問することもできなかったのですが、この年になって自分なりに感じているのは、実感を伴った言葉を話せているかどうか、ということなのかなと思っています。そしてその感性を育てるには、普段から自分が使う言葉にこだわりを持つ、ということがひとつできることではないでしょうか。

私が元来内気な人間で、それゆえ大学のサークルでアナウンス研究会に入って話すことを学んだことを最初に書きました。そのアナ研の練習の中でフリートークというものがありました。一分間なんでもいいから自由に、今感じていること、最近起こった出来事について話すのです。一分の中で言いたいことが伝わるように収めなければなりません。

まず第一に、特に話したいこともないのにしゃべらなければならないことが苦痛でした。それでも練習だからと必死にネタを探しました。次に、話すことへの圧倒的な苦手意識があったので、周りの人にどう思われているのだろう、つまらないことしゃべってるな、と思われているのではないか、ということが気になって声も小さくなっていきます。大抵は十五秒くらいしゃべると、あとは沈黙してしまうのでした。

仕方がないので、いつフリートークの練習がめぐってきても、今度は一分間で何かを話せるよう、常に一つか二つ用意しておくようにしました。箇条書きではうまくいかなかったので、一字一句全てを書いて自宅で一人ボソボソとしゃべっては書き直し、秒針とにらめっこしながら言葉の順番を入れ変え、自分の伝えたいことを整理しました。

それでも大して面白いことは話せませんでしたけれど、大切な発見がありました。それは、話したいことなどないと思っていたけれど、自分の思いを辿ってみると、日々小さくても何かを体験していること、それによって何かを感じ、自分の考え方に影響を与えているのだということに気づきました。言葉にするということは、それらの体験を無意識の領域から意識の領域に移動させる力があるという発見です。

自分の思いを一番近い感触で表してくれる言葉はどれだろう、と探す作業の新鮮さ、私にも話すことはできるのかもしれないというかすかな希望。言葉と自分が繋がっていく楽しさが湧いてきました。

そして朗読においての言葉の感性は、人の書いた言葉に、いかにふさわしい実感をこめて伝えられるか、そのふさわしさを見極める力なのかもしれないと思います。ただ声に出して読むだけでも、意味は通じます。でもそこに実感が伴っている言葉は、人への届き方が違います。人間というのは、そういうものを敏感に察知する力を持って生まれているのだと思います。

自分の思いを言語化するという作業を丁寧に取り組めば、人が書いた文章の意図することを読み取るセンサーも磨かれるように感じます。どんな思いをこめてその言葉が選ばれたのかを想像する力です。作者がこめたかもしれない思い、登場人物が使う言葉のうしろにあるもの、あくまで読者としての理解ではありますが、朗読者が納得がいって声に出す言葉は、きっと人の心に届き、届いた先で波紋を広げる力があると信じています。

「作品との」「登場人物たちとの」「自分自身との」架空の対話の中で、その言葉を声に出すことがうれしくなるような場所に到達できるよう、これからも朗読とおつきあいしていきたいと思っています。

あとがき

長年、言葉を使う仕事をしていながら、どこか言葉というものを疑っている部分が自分にはあります。気配とか、微細な感覚など、言葉からこぼれ落ちるものが、人にはたくさんあるように思うからです。

朗読教室では、レッスンを受けてくれる一人一人に対して、どこがその人の魅力で、どこをもっと磨けばさらに生き生きしそうか、を注意深く感じ、伝えようとしているつもりです。その「どこ」を相手に伝えるためには、やはり「言葉」に落とし込まなければなりません。

なかなかピタッと当てはまる言葉が見つからず、思いが口元で大渋滞を起こすこともあります。あるいは、自分が使った言葉を相手が違う意味に受け取ってしまうこともあります。そんなとき、思うのです。言葉ってなんて厄介なのだろうと。同時に、こうして言葉に向き合うことで、辛抱強くなること、あきらめないことを学んでいる、とも。

ここに書いた言葉たちは、普段のレッスンの中でも、頻度高く使っているものばかりだと思います。いろいろな人に、何度も伝えたいと思う事柄なので、おそらく多くの人に共通して使ってもらって、そんなに外れてはいないのではないかと、願う気持ちです。何かひとつでも、前へ進むきっかけになれば幸いです。

三年ほどかけて、少しずつまとめました。自分自身の日々の練習や、教室でのレッスンの中では、その場で消えていってしまう言葉たちを、もう一度集めてくるのはなかなか骨の折れる作業でした。それでもここで一旦ひとつの形にしてみようという気持ちを何度も奮い立たせてくれたのは、教室に通ってくれている参加者の皆さんの存在のおかげです。

また文章を書く、という慣れないことへの挑戦を支え、本として出版することへのこだわりを刺激してくれた、大阪文学学校関係者と、ともに学ぶ仲間たち、本当にありがとうございます。

最後になりましたが、普段一緒に活動してくれている仲間たち、この過程を気にかけ、支えてくれた全ての皆様、家族に、そして、この文章が彩流社・河野和憲社長の手に渡り、本にしましょうと言ってもらえたひとつの奇跡に、心から感謝申し上げます。

二〇二四年四月

松浦このみ

【著者】 松浦このみ （まつうら・このみ）
中央大学文学部卒業。静岡ＦＭ放送アナウンサーを経てフリーに。Tokyo FM、JFN、ラジオ日本などで、数多くの番組パーソナリティを務める。ナレーターとしてテレビ番組、テレビＣＭ、ラジオＣＭを多数担当。学生時より朗読を山内雅人氏、鎌田弥恵氏に師事。1995年朗読と音楽で空間をつくる「gusuto de piro」（エスペラント語「梨の味」）を立ち上げ、西村由紀江（ピアノ）、八木美知依（箏奏者）など多数のミュージシャンと演奏と朗読で物語の世界をつくるライブを続けている。これまでに取り組んだ作品は100作品以上。声優・ナレーター養成所シャイン講師を経て、2009年一般向けの朗読教室を開講。20代から70代、プロ・アマを問わず個性を生かす朗読に取り組む。gusuto de piroの活動は、楽器の演奏と朗読とのコラボレーションで物語の世界を立体的に想像できるよう試みている。

聞き手も読み手も楽しめる朗読のレッスン

二〇二四年六月二十日　初版第一刷

著者——松浦このみ
発行者——河野和憲
発行所——株式会社 彩流社
〒101-0051
東京都千代田区神田神保町3-10大行ビル6階
電話：03-3234-5931
ファックス：03-3234-5932
E-mail：sairyusha@sairyusha.co.jp

印刷——モリモト印刷（株）
製本——（株）難波製本
装丁——中山銀士＋金子暁仁

ISBN978-4-7791-2985-8 C0076
https://www.sairyusha.co.jp